Italian

Phrase book
for your travels

Italian

MINIKING.

Authorized special edition 2000 for
Mixing GmbH, 74172 Neckarsulm
Printed in Germany

CONTENTS

Everyday Life

Shopping

Food and Drink

Emergencies

PRONUNCIATION

The pronunciation is always directly below or beside the corresponding word or phrase; syllables that are to be stressed are underlined.

Pronunciation is generally simplified in order to make it easier for readers who are unfamiliar with Italian; we have to a large degree dispensed with special phonetic transcription signs. Regional specialities were not taken into account at all.

As some sounds in Italian are unknown in the English language, and some letters are pronounced differently, here are some explanations:

a	as in car, half (not as in man, hat)
e	as in bed
i	as in tin (not as in mind)
o	as in more (not as in love)
u	as in put (not as in much)
r	is always pronounced (never silent as in bar)

In combinations, each vowel keeps its proper value; e.g. *ai* is not pronounced as in *pair*, but as an *a* followed by an *i* (sounds approximately like *uy* in *buy*).

This rule also applies to double consonants; e.g. in a word with a double *t* like *mettere* both *t*'s are pronounced, with a little stop between them.

The article is shown for all terms :

il (masculine singular), lo (masculine singular before s + consonant, z or gn)

i (masculine plural), **gli** (masculine plural before s + consonant, z or gn)
la (feminine singular), **le** (feminine plural)

If a noun begins with a vowel, it is usually preceded by the article **l'** in the singular form.

EVERYDAY LIFE

Contents

NOTES

EVERYDAY LIFE

Important phrases

phrases

Where's ...?
Dov'è ...?
Dove

Could you tell me ...?
Mi potrebbe dire ...?
Mi potrebe dire

Where do I have to go?
Dove devo andare?
Dove devo andare

Which is the quickest way to ...?
Come si arriva nel modo più veloce a ...?
Kome si ariva nel modo pyu velotshe a

Directions		
at the back	lì dietro	*(li) dietro*
at the beginning	all'inizio	*allinitsyo*
at the bottom	giù	*dshu*
at the front	lì davanti	*(li) davanti*
at the top	su	*su*
at the corner	all'angolo	*allangolo*
at the end	alla fine	*alla fine*
backwards	indietro	*indyetro*
behind	dietro a	*dyetro a*
down	in giù	*in dshu*
forwards	avanti	*avanti*
in front of	davanti a	*davanti a*
left	a sinistra	*a sinistra*
opposite	di fronte	*di fronte*
right	a destra	*a destra*
straight on	(tutto) diritto	*(tutto) diritto*
up	in su	*in su*

How far is ...?
Quanto dista ...?
Kuanto dista

11

How do we get onto the motorway?
Come si arriva all'autostrada?
Kome si arriva allautostrada

Is this the road to ...?
È la strada per ...?
E la strada per

Could you show me that on the map, please?
Me lo può indicare sulla cartina, per favore?
Me lo può indikare sulla kartina, per favore

Where's the bus/the train going to?
Dove va l'autobus/il treno?
Dove va lautobus/il treno

Where's the bus/the train coming from?
Da dove viene l'autobus/il treno?
Da dove vyene lautobus/il treno

Directions that you receive from a local if you have asked the way could sound like this:

Andate (tutto) diritto fino a che vedete un ristorante di fronte. Poi andate a sinistra e prendete la seconda strada a destra finché arrivate in una piazza grande. Traversate questa piazza e trovate la stazione a sinistra.
Andate (tutto) dirito fino a ke vedete un ristorante di fronte. Poi andate a sinistra e prendete la sekonda strada a destra finke arivate in una pyatsa grande. Traversate kuesta pyatsa e trovate la statsyone a sinistra.
Go straight ahead until you see a restaurant on the opposite side of the road. Then turn left, and take the second street on your right. Carry on until you reach the square. Cross the square and the station is on your left hand side.

Don't be afraid to ask if there is something you do not understand:
Questo non l'ho capito. _(Kuesto non lo kapito)_

If your destination is far away you will most likely be advised to use public transport:

Può prendere l'autobus/la metropolitana.
Può prendere lautobus/la metropolitana
You can take the bus/the underground.

12

TIME

Important words

words

at lunchtime	a mezzogiorno
	a medsodshorno
at night	di notte
	di notte
at the weekend	il fine settimana
	il fine setimana
before	prima
	prima
daily	ogni giorno
	onyi dshorno
earlier	prima
	prima
early	presto
	presto
every hour	ogni ora
	onyi ora
in the afternoon	di pomeriggio
	di pomeridsho
in the evening	di sera
	di sera
in the morning	di mattina
	di matina
in time	in tempo
	in tempo
late	tardi
	tardi
later	più tardi
	pyu tardi
monthly	mensile/ogni mese
	mensile/onyi mese
never	mai
	mai
now	adesso
	adesso
often	spesso
	spesso

– tonight
  stasera
  stasera
– at midday
  oggi a mezzogiorno
  odschi a medsodschorno
– this morning
  stamattina
  stamatina
– this afternoon
  oggi pomeriggio
  odschi pomeridscho
– tonight
  stanotte
  stanotte

13

seldom	**di rado**	
		di rado
sometimes	**qualche volta**	
		kualke volta
soon	**presto**	
		presto
the day after tomorrow	**dopodomani**	
		dopodomani
the day before yesterday	**l'altro ieri**	
		laltro iyeri
today	**oggi**	
		oddshi
tomorrow	**domani**	
		domani

Days of the week

Monday	**lunedì**	*lunedi*
Tuesday	**martedì**	*martedi*
Wednesday	**mercoledì**	*merkoledi*
Thursday	**giovedì**	*dshovedi*
Friday	**venerdì**	*venerdi*
Saturday	**sabato**	*sabato*
Sunday	**domenica**	*domenika*

Months

January	**gennaio**	*dshenayo*
February	**febbraio**	*febrayo*
March	**marzo**	*martso*
April	**aprile**	*aprile*
May	**maggio**	*madsho*
June	**giugno**	*dshunyo*
July	**luglio**	*lulyo*
August	**agosto**	*agosto*
September	**settembre**	*setembre*
October	**ottobre**	*otobre*
November	**novembre**	*novembre*
December	**dicembre**	*ditshembre*

weekly	**settimanale/ogni settimana**	
		setimanale/onyi setimana
yesterday	**ieri**	
		iyeri

14

Sono ...
sono

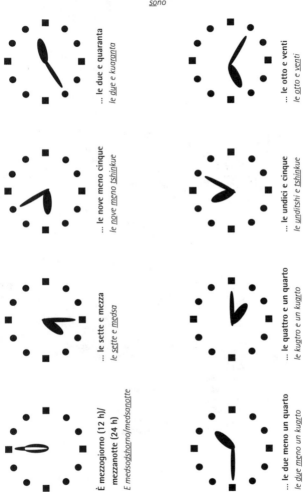

... le due e quaranta
le due e kuaranta

... le otto e venti
le otto e venti

... le nove meno cinque
le nove meno tshinkue

... le undici e cinque
le unditshi e tshinkue

... le sette e mezza
le sette e medsa

... le quattro e un quarto
le kuatro e un kuarto

È mezzogiorno (12 h)/
mezzanotte (24 h)
E medsodshorno/medsanotte

... le due meno un quarto
le due meno un kuarto

phrases

Important phrases

What time is it?
Che ore sono?
Ke ore sono

What time/When will we meet?
A che ora ci incontriamo?
A ke ora tshi inkontriamo

At 3 p.m.
Ci incontriamo alle 15.
Tshi inkontriamo alle kuinditshi

In four hour's time.
Fra quattr'ore.
Fra kuatrore

Between five and six.
Tra le cinque e le sei.
Tra le tshinkue e le sei

Public holidays and festivals		
New Year's Day	**Capodanno (m)**	*Kapodanno*
Epiphany (6 Jan.)	**l'Epifania (f)**	*Lepifania*
Easter	**Pasqua (f)**	*Paskua*
25 April *	**Festa della Liberazione**	*Festa della Liberatsyone*
Whitsun	**Pentecoste (f)**	*Pentekoste*
Ascension of the Virgin Mary	**l'Assunzione (f)/ il Ferragosto**	*Lassuntsyone/ Feragosto*
All Saints' Day	**Ognissanti**	*Onyisanti*
Immaculate Conception (8 Dec.)	**l'Immacolata Concezione (f)**	*Limakolata Kontshetsyone*
Christmas Eve	**Vigilia di Natale**	*Vidshilia di Natale*
Christmas Day	**Natale (m)**	*Natale*
New Year's Eve	**San Silvestro**	*San silvestro*

* liberation from facism

How long will it take?
Quanto durerà?
Kuanto durera

Seasons		
spring	**la primavera**	*primavera*
summer	**l'estate (m)**	*lestate*
autumn	**l'autunno**	*lautunno*
winter	**l'inverno**	*linverno*

From four to five.
Dalle quattro alle cinque.
Dalle quatro alle tchinkue

Till eight o'clock.
Fino alle otto.
Fino alle otto

Since when (have you been here)?
Da quando (è qui)?
Da kuando (e kui)

Since three p.m.
Dalle 3 di pomeriggio.
Dalle tre di pomeridsho

For an hour.
Da un'ora.
Da unora

It's too early.
È ancora troppo presto.
E ankora troppo presto

It's (too) late.
È (troppo) tardi.
E (troppo) tardi

What's the date?
Quanti ne abbiamo oggi?
Kuanti ne abiamo odshi

Today's the 10th of October.
Oggi è il dieci ottobre.
Odshi e il dietshi otobre

17

CHANGING MONEY

words

Important words

amount	l'importo (m)
	limporto
bank	la banca
	banka
banknote	la banconota / il biglietto
	bankonota / bilyetto
bureau de change	l'agenzia (f) di cambio
	ladshentsya di kambyo
card number	il numero della carta
	numero della karta
cash (to pay)	in contanti
	in kontanti
cash	il denaro in contanti
	denaro in contanti
cash dispenser	lo sportello automatico
	sportelo automatiko
cheque	l'assegno (m)
	lassenyo
cheque card	la carta assegni
	karta assenyi
coin	la moneta
	moneta
commission	la tariffa
	tarifa
counter	lo sportello
	sportello
credit card	la carta di credito
	karta di kredito
currency	la valuta
	valuta
eurocheque	l'eurocheque (m)
	leuroshek
to exchange	cambiare
	kambyare
exchange rate	il corso dei cambi
	korso dei kambi

Pound sterling
sterlina
sterlina

Dollar
dollaro
dolaro

money	**il denaro**	
	denaro	
to pay in	**versare**	
	versare	
payment	**il pagamento**	
	pagamento	
signature	**la firma**	
	firma	
(small) change	**gli spiccioli**	
	spitscholi	
to transfer	**assegnare**	
	assenyare	

bank account
il conto in banca
konto in banka
bank code
il codice d'avvia-
mento bancario
koditshe daviamento
bankario

The simplest way to obtain cash is with a Eurocheque card at one of the numerous ATMs, assuming it displays the EC symbol. You can often choose to have the instructions displayed in English. Drawing out cash from the ATM requires the same procedure as in Britain; you enter your PIN. If you want a receipt you have to press the appropriate key.

You can pay by credit card in virtually any shop in Itay as that is a common means of paying here. On the other hand EC bank cards are not accepted everywhere.

Banks are generally open weekdays from 9.30 a.m. to 1 p.m. and again for a short time in the afternoon. In more rural regions the banks are closed on a few days in the week.

traveller's	**il traveller's cheque**
cheque	*travelers shek*
to withdraw	**prelevare**
	prelevare

Important phrases

Where's the nearest bank?
Dov'è la banca più vicina?
Dove la banka pyu vitshina

What time does the bank open?
Quando è aperta la banca?
Kuando e aperta la banka

19

If you are changing money in a bank you could be confronted with the following questions, requests and comments:

► May I see your passport/identity card, please?
  La Sua carta d'identità, per favore.
  La sua karta didentita, per favore

► Sign here, please.
  Dovete firmare qui.
  Dovete firmare kui

► How would you like it, in large or small notes?
  Preferisce banconote di piccolo o grande taglio?
  Preferishe bankonote di pikkolo o grande talyo

► Go to the cashdesk, please.
  Andate alla cassa, per favore.
  Andate alla kassa, per favore

► Could I see your cheque card, please?
  La Sua carta assegui, per favore.
  La sua karta assenyi, per favore

I'd like to change 200 pounds.
Vorrei cambiare duecento sterline.
Vorey kambyare duetschento sterline

What's the current exchange rate?
A quanto ammonta il cambio oggi?
A kuanto amonta il kambyo odschi

Do you change traveller's cheques?
Cambiate anche un traveller's cheque?
Kambyate anke un travelers shek

What's the limit/maximum amount for a eurocheque?
Qual è l'importo massimo per eurocheque?
Kual e limporto massimo per euroshek

What's the commission charge?
A quanto ammontano le spese bancarie?
A kuanto amontano le spese bankarie

Is there a cash dispenser nearby?
C'è una cassa automatica prelievi qui vicino?
Tshe una kassa automatika prelyevi kui vitshino

TELEPHONE AND MAIL

Important words

words

cardphone	**il telefono a scheda**
	tele̲fono a ske̲da
to dial	**fare il numero**
	fare il nu̲mero
directory enquiries	**l'ufficio (m) informazioni**
	lufi̲tsho informa̲tsyoni
engaged	**occupato**
	okupa̲to
international call	**la chiamata internazionale**
	kya̲ma̲ta internatsiona̲le
line	**la comunicazione**
	komunikatsyo̲ne
local call	**la chiamata urbana**
	kya̲ma̲ta urba̲na
long-distance call	**la chiamata interurbana**
	kya̲ma̲ta interurba̲na
to make a phone call	**telefonare**
	telefona̲re
national code	**il prefisso**
	prefi̲sso
payphone	**il telefono a monete**
	tele̲fono a mone̲te
phone box	**la cabina telefonica**
	kabi̲na telefo̲nika
phone call	**la telefonata**
	la telefona̲ta
phonecard	**la scheda telefonica**
	ske̲da telefo̲nika

telephone

teléfono
tele̲fono

In Italy, telephone cards are becoming more and more popular; in many areas card telephones have taken over completely from coin-operated boxes. You can buy the plastic cards (**scheda telefonica**; ske̲da telefo̲nika) in post offices or tobacconist's. Before you use the card - which can be bought in different values according to the units stored - you must break off a marked corner of the card. Public phones can be found in post offices, bars and restaurants that have a sign outside showing a telephone receiver.

	to put through	**passare**
		passare
	telephone	**il telefono**
		telefono
	telephone directory	**l'elenco telefonico (m)**
		lelenko telefoniko
	unit	**lo scatto**
		skatto

post	address	**l'indirizzo (m)**
		lindiritso
posta	addressee	**il destinatario**
posta		*destinatario*
	by airmail	**via aerea**
		via aerea
	to frank	**affrancare**
		afrankare
	letter	**la lettera**
		lettera
Great Britain	packet	**il pacchetto**
Gran Bretagna		*paketto*
Gran Bretanya	parcel	**il pacco**
		pakko
Ireland	postage	**il porto**
Irlanda		*porto*
Irlanda	postbox	**la cassetta delle lettere**
		kassetta delle lettere
America	postcard	**la cartolina postale**
America		*kartolina postale*
Amerika	postcode	**il codice di avviamento postale**
		koditshe di aviamento postale
	post office	**l'ufficio postale (m)**
		lufitsho postale
	sender	**il mittente**
		mitente
	stamp	**il francobollo**
		frankobollo
	telegram	**il telegramma**
		telegramma

22

Important phrases

Where's the nearest phone box?
Dov'è la cabina telefonica più vicina?
Dove la kabina telefonika pyu vitshina

Where can I get a phonecard?
Dove posso comprare una scheda telefonica?
Dove posso komprare una skeda telefonika

Do you have a phone?
Ha un telefono?
A un telefono

What's the code for ...?
Qual è il prefisso per ...?
Kual e il prefisso per

Hello, who's speaking?
Pronto, con chi parlo?
Pronto, kon ki parlo

Can I speak to Mr/Mrs ...?
Vorrei parlare con il signor/la signora ...
Vorey parlare kon il sinyor/la sinyora

When will he/she be back?
Quando torna?
Kuando torna

Would you ask him/her to call back?
Gli/Le potrebbe dire di richiamarmi?
Lyi/Le potrebe dire di rikyamarmi

I'll call again later/tomorrow.
Ritelefono più tardi/domani.
Ritelefono pyu tardi/domani

I think it's a faulty line.
Credo che la linea sia disturbata.
Kredo ke la linea sia disturbata

Sorry, he's/she's not here.
Mi dispiace, ma non c'è.
Mi dispyatshe, ma non tshe

The line's busy.
La linea è occupata.
La linea e okupata

You've got the wrong number.
Ha sbagliato numero.
A sbalyato numero

23

Stamps can usually also be bought in newsagent's and tobacconist's - especially when they also sell postcards. Letter boxes can be found in every small village.

Where's the nearest post office?
Dov'è l'ufficio postale più vicino?
Dove lufitsho postale pyu vitschino

Where do I find a letterbox?
Dove trovo una cassetta delle lettere?
Dove trovo una kassetta delle lettere

How much does a letter to ... cost?
Quanto costa spedire una lettera a/in ...?
Kuanto kosta spedire una lettera a/in

How long does a postcard to ... take?
Quanto tempo impiega una cartolina postale per ...?
Kuanto tempo impyega una kartolina postale per

I'd like to send this letter by airmail/ express.
Vorrei spedire questa lettera per via aerea/ per espresso.
Vorey spedire kuesta lettera per via aerea/per espresso

How much is the postage?
A quanto ammonta il porto?
A kuanto amonta il porto

Three ...-lira stamps, please.
Tre francobolli da ... lire, per favore.
Tre frankobolli da ... lire, per favore

Do you have any special-issue stamps?
Ha l'emissione speciale?
A lemissyone spetshale

24

WEATHER

Important words

words

bright	**sereno**
	sereno
clear	**sereno/limpido**
	sereno/limpido
cloud	**la nuvola**
	nuvola
cloudy	**nuvoloso**
	nuvoloso
cold	**freddo**
	freddo
cool	**fresco**
	fresko
damp	**umido**
	umido
drizzle	**la pioggerella**
	pyodsherella
fog	**la nebbia**
	nebbia
frost	**il gelo**
	dshelo
hazy	**nebbioso**
	nebbyoso
hail	**la grandine**
	grandine
heat	**il caldo**
	kaldo
hot	**caldo**
	kaldo
humid	**afoso**
	afoso
ice	**il gelo/il ghiaccio**
	dshelo/gyatsho
lightning	**il fulmine**
	fulmine
overcast	**velato**
	velato

25

rain	la pioggia
	pyodsha
rainfall	le precipitazioni
	pretshipitatsyoni
rainshower	il rovescio di pioggia
	rovescho di pyodsha
rainy	piovoso
	pyovoso
dry	secco
	sekko
snow	la neve
	neve
snowfall	la nevicata
	nevikata
storm	la tempesta
	tempesta

Terms to enable a better understanding of the weather report

climate	il clima	*klima*
degree	il grado	*grado*
high-pressure area	la zona di alta pressione	*dsona di alta presyone*
high tide	l'alta marea (f)	*lalta marea*
low-pressure area	la zona di depressione atmosferica	*dsona di depresyone atmosferika*
low tide	la bassa marea	*bassa marea*
sky	il cielo	*tshelo*
temperature	la temperatura	*temperatura*
weather forecast	la previsione del tempo	*previsyone del tempo*
wind direction	la direzione del vento	*diretsyone del vento*

---

stormy	tempestoso
	tempestoso
sun	il sole
	sole
sunny	soleggiato
	soledshato
thaw	il disgelo
	disdshelo
thunder	il tuono
	tuono

piovoso

nuvoloso

temporalesco

soleggiato

variabile

nebbioso

nevicata

thunderstorm	**il temporale**
	temporale
variable	**variabile**
	variabile
warm	**caldo**
	kaldo
wet	**bagnato**
	banyato
wind	**il vento**
	vento
windy	**ventoso**
	ventoso

Important phrases

What's the weather going to be like today?
Che tempo farà oggi?
Ke tempo farà odshi

It's going to stay fine.
Resta bel tempo.
Resta bel tempo

It looks like rain.
Pare che voglia piovere.
Pare ke volya pyovere

What's the temperature?
Quanti gradi ci sono?
Kuanti gradi tshi sono

It's twenty-five degrees Centigrade.
Ci sono 25 gradi.
Tshi sono ventitshinkue gradi

SHOPPING

Contents

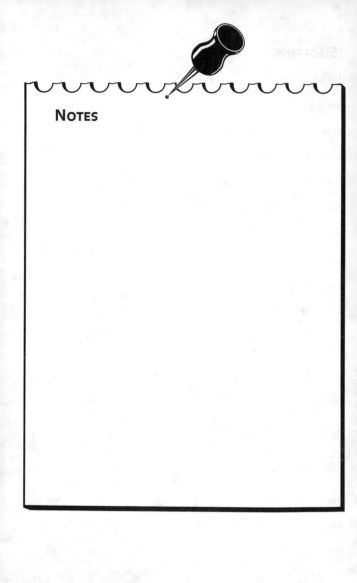

NOTES

SHOPPING

Important words

words

antiques	l'antichità (f)
	lantikità
bakery	la panetteria
	panetteria
butcher's	la macelleria
	matshelleria
florist's	il fioraio
	fyoraio
bookshop	la libreria
	libreria
chemist's	la farmacia/
	la drogheria
	farmatshia/
	drogeria
department store	il grande magazzino
	grande magadsino
electrical shop	il negozio di articoli elettrici
	negotsio di artikoli eletritshi
fashion wear	il negozio di abbigliamento
	negotsio di abilyamento
fishmonger's	la pescheria
	peskeria
fruit seller's	il fruttivendolo
	fruttivendolo
greengrocer's	l'erbivendolo
	lerbivendolo

Where's the next ...?
Dove troviamo ...?
Dove trovyamo

Can you recommend
  a(n) ..., please?
Potrebbe
  consigliarmi ...?
Potrebe konsilyarmi

In Italy there are no strictly adhered to shop opening times. Shops are usually open from Monday to Saturday from 9 a.m. to 1 p.m. and again from 4.30 p.m. to 8 p.m. In many cities especially larger shops and some supermarkets do not close for a lunch break; some smaller shops are also open until 8 p.m. Bakeries, butchers and small grocery stores are often also open on Sunday morning.

However, smaller grocery shops are generally closed on Thursday afternoon; service industries are usually closed on Mondays.

grocer's	**il negozio di generi alimentari**	
	negotsio di dsheneri alimentari	
health-food store	**il negozio di prodotti dietetici**	
	negotsio di prodotti dietetitshi	
jeweller's	**il gioielliere**	
	dshoyelyere	

Useful words for shopping

sale	**i saldi**	*saldi*
self-service	**il self-service**	*self-servis*
to serve	**servire**	*servire*
shop window	**la vetrina**	*vetrina*
special offer	**l'offerta speciale (f)**	*loferta spetshale*
VAT	**l'IVA**	*Iva*

---

	newsagent's	**il giornalaio**
		dshornalayo
	perfume shop	**la profumeria**
		profumeria
open	record shop	**il negozio di CD**
aperto		*negotsio di Tshi Di*
aperto	shoe shop	**il negozio di calzature**
		negotsio di kaltsature
closed	sports shop	**il negozio di articoli sportivi**
chiuso		
kyuso		*negotsio di artikoli sportivi*
closed for holidays	souvenir shop	**il negozio di souvenir**
chiuso per ferie		*negotsio di suvnir*
kyuso per ferie	stationer's	**la cartoleria**
		kartoleria
	supermarket	**il supermercato**
		supermerkato
	tobacconist's	**la tabaccheria**
		tabakeria
	toy shop	**il negozio di giocattoli**
		negotsio di dshokatoli

Important phrases

I'm looking for ...
Cerco ...
Tsherko

Could I have a look at ...?
Posso vedere ...?
Posso vedere

I'm just looking.
Ma vorrei dare soltanto un'occhiata.
Ma vorey dare soltanto unokyata

I will pay cash.
Pago in contanti.
Pago in kontanti

Do you take credit cards?
Accetta anche carte di credito?
Atsheta anke karte di kredito

In Italian shops it is becoming more and more popular for goods to be paid for by credit card. They are accepted almost everywhere; so don't be afraid to pay for even small purchases by card.

A tip: At the toll-gates on Italian motorways you can pay quickly and easily by credit card. It isn't necessary to sign anything - the cashier takes your card, swipes it and returns it along with your receipt.

I'd like a receipt, please.
Una ricevuta, per favore.
Una ritshevuta, per favore

I think you've overcharged me.
Credo che abbia sbagliato.
Kredo ke abya sbalyato

You've given me the wrong change.
Mi ha dato meno resto.
Mi a dato meno resto

The gift

I'd like to buy this.
Vorrei comprare questo.
Vorey komprare kuesto

Of course. Should I wrap it up?
Certo. Lo devo impacchettare?
Tsherto. Lo devo impaketare

That would be nice.
Sarebbe gentile (da parte Sua).
Sarebe dshentile (da parte sua)

Is it a gift?
È un regalo?
E un regalo

Yes.
Sì.
Si

Then I'll wrap it up in special paper.
Allora prendo la carta da regalo.
Alora prendo la karta da regalo

Can I pay by credit card?
Posso pagare con la carta di credito?
Posso pagare kon la karta di kredito

Certainly. Most of the customers buy this way.
**Certamente. Gran parte dei clienti paga
come Lei.**
*Tshertamente. Gran parte dei klienti paga
kome Ley*

Thank you very much. Good-bye.
Tante grazie. Arrivederci.
Tante gratsie. Arivedertshi

AT THE MARKET

Important words

artichoke	**il carciofo**
	kartshofo
asparagus	**l'asparago (m)**
	lasparago
aubergine	**la melanzana**
	melandsana
avocado	**l'avocado (m)**
	lavokado
beans	**i fagioli**
	fadsholi
broccoli	**i broccoli**
	brokoli
cabbage	**il cavolo**
	kavolo
carrots	**le carote**
	karote
cauliflower	**il cavolfiore**
	kavolfyore
chives	**l'erba cipollina (f)**
	lerba tshipolina
courgettes	**gli zucchini**
	tsukini
cucumber	**il cetriolo**
	tshetriolo
garlic	**l'aglio (m)**
	lalyo
leek	**il porro**
	porro

vegetables

verdura
verdura

In Italy, whether in cities or in villages, there are markets where you can
buy (almost) anything - especially fresh foods such as fruit, vegetables,
meat and fish as well as flowers, and often clothing, shoes and gifts.
Once a week every town has its market day (**mercato**), and often there
are several market days. The local tourist information office will be able
to give you the dates and places. In the market halls it is not possible
to haggle about prices, however, at flea markets (**mercado delle pulci**)
it is actually expected of you.

lettuce	la lattuga	*latuga*

maize	il mais	*mais*
mushroom	il prataiuolo	*pratayolo*
onion	la cipolla	*tshipolla*
parsley	il prezzemolo	*pretsemolo*
peas	i piselli	*piselli*
pepper	il peperone	*peperone*
potatoes	le patate	*patate*
spinach	gli spinaci	*spinatshi*
tomato	il pomodoro	*pomodoro*

fruit

frutta
frutta

apple	la mela	*mela*
apricot	l'albicocca (f)	*lalbikokka*
banana	la banana	*banana*
cherry	la ciliegia	*tshilyedsha*
coconut	la noce di cocco	*notshe di kokko*
currant	il ribes	*ribes*
fig	il fico	*fiko*
grape	l'uva (f)	*luva*
lemon	il limone	*limone*
mandarin	il mandarino	*mandarino*

36

orange	l'arancia (f)	
	larantsha	
peach	la pesca	
	peska	
pear	la pera	
	pera	
pineapple	l'ananas (m)	
	lananas	
plum	la prugna (f)	
	prunya	
raspberry	il lampone	
	lampone	
strawberry	la fragola	
	fragola	

Italian cuisine gets its main appeal from simple dishes - especially in the preparation of vegetables. The poor people in the country regions had to rely on nature's products in times of hardship. Because of this a cuisine developed that makes do with the simplest ingredients and relies completely on their own flavour. Home pressed olive oil and, above all, tomatoes are never missing from country style cooking. One of these typical meals that has conquered the world is the pizza.

Another main ingredient in traditional cooking is pasta. Each region in Italy is known for its typical pasta sauce - for example the area around Bologna for its meat sauce and Naples for its tomato sauce.

bacon	il lardo	
	lardo	
beef	la carne di manzo	
	karne di mantso	
boiled ham	il prosciutto cotto	
	proshutto kotto	
chop	la cotoletta	
	kotoletta	
cold cuts	l'affettato (m)	
	laffetato	
fillet	il filetto	
	filetto	
ham	il prosciutto	
	proshutto	

meat

carne
karne

37

	liver	il fegato
		fegato
	minced meat	la carne tritata
		karne tritata
	mutton	la carne di montone
		karne di montone
	pork	la carne di maiale
		karne di mayale
	raw ham	il prosciutto crudo
		proshutto krudo
	sausages	le salsicce
		salsitshe
	steak	la bistecca
		bistekka
	veal	la carne di vitello
		karne di vitello

game	boar	il cinghiale
		tshingyale
selvaggina	rabbit	il coniglio
selvadshina		*konilyo*
	stag	il cervo
		tshervo
	venison	il capriolo
		kapriolo

poultry	chicken	il pollo
		pollo
pollame	duck	l'anatra (f)
polame		*lanatra*
	goose	l'oca (f)
		loka

fish	cod	il merluzzo
		merlutso
pesce	crab	il granchio
peshe		*grankyo*
	eel	l'anguilla (f)
		languilla
	gambas	i gamberetti
		gamberetti

haddock	il nasello	
	nasello	
mussels	le cozze	
	kotse	
oyster	le ostriche	
	ostrike	
salmon	il salmone	
	salmone	
sardines	le sardine	
	sardine	
sole	la sogliola	
	solyola	
trout	la trota	
	trota	
tuna	il tonno	
	tonno	
turbot	il rombo	
	rombo	
venus mussels	le vongole	
	vongole	

> Whether melted on pizza or lasagne, freshly grated over pasta, served
> with fresh bread or as the final touch to a good meal, cheese plays
> an important role in the Italian cuisine. Probably the best known is a
> hard cheese from the Parma region - Parmesan, the ideal cheese for
> pasta dishes.

cream cheese	la ricotta	**cheese**
	rikotta	
feta	il pecorino	**formaggio**
	pekorino	*formadsho*
goat's cheese	il caprino	
	kaprino	
gorgonzola	il gorgonzola	
	gorgontsola	
mascarpone	il mascarpone	
	maskarpone	
mozzarella	la mozzarella di bufalo	
	motsarella di bufalo	
parmesan	il parmigiano	
	parmidshano	

Important phrases

Who's next, please?
Chi è il prossimo?
Ki e il prossimo

Can I help you?
Posso aiutarLa?
Posso ayutarla

Anything else?
Desidera altro?
Desidera altro

It's a bit over/less, alright?
Un pò di meno/più?
Un po di meno/pyu

Sorry, we're sold out of those.
È finito.
E finito

I'd like a pound of potatoes.
Vorrei mezzo chilo di patate.
Vorey medso kilo di patate

Could I have a kilo of apples, please?
Mi dia un chilo di mele, per favore.
Mi dia un kilo di mele, per favore

What's that?
Che cos'è?
Ke kose

Could I try some?
Lo posso assaggiare?
Lo posso assadshare

A bit more, please.
Un po' di più, per favore.
Un po di pyu, per favore

40

A bit less, please.
Un po' di meno, per favore.
Un po di <u>me</u>no, per fa<u>vo</u>re

That's all, thanks.
Grazie, è tutto.
<u>Gra</u>tsie, e <u>tut</u>to

Buying fruit and vegetables

Who's next, please?
Il prossimo, per favore.
Il <u>pros</u>simo, per fa<u>vo</u>re

I am.
È il mio turno.
E il <u>mio</u> <u>tur</u>no

What can I get for you?
Cosa posso darLe?
<u>Ko</u>sa <u>pos</u>so <u>dar</u>le

I would like a kilo of apples, please.
Vorrei un chilo di mele.
Vo<u>rey</u> un <u>ki</u>lo di <u>me</u>le

What kind would you like?
Che tipo?
Ke <u>ti</u>po

From those, please.
Queste qui, per favore.
Ku<u>es</u>te ku<u>i</u>, per fa<u>vo</u>re

You made a good choice. These apples come from around here.
Ha fatto la scelta giusta. Queste mele vengono da queste parti.
A <u>fat</u>to la <u>shel</u>ta <u>dshus</u>ta. Ku<u>es</u>te <u>me</u>le <u>ven</u>gono da ku<u>es</u>te <u>par</u>ti

Did you pick them yourself?
Le ha raccolte Lei?
Le a ra<u>kol</u>te ley

Yes, we've got a farm in the neighbouring village.
Sì, abbiamo una fattoria nel paese vicino.
Si, ab<u>ya</u>mo <u>u</u>na fatto<u>ri</u>a nel pa<u>e</u>se vit<u>shi</u>no

There is nothing quite as nice as fresh fruit.
Non c'è niente di meglio della frutta fresca.
Non tshe n<u>yen</u>te di <u>mel</u>yo <u>del</u>la <u>frut</u>ta <u>fres</u>ka

I agree. Can I get you anything else?
Questo è vero. Ha un altro desiderio?
Ku<u>es</u>to e <u>ve</u>ro. A un <u>al</u>tro desi<u>de</u>rio

Are the grapes sweet?
L'uva è dolce?
<u>Lu</u>va e <u>dol</u>tshe

Yes, but try one yourself.
Sì, ma provi Lei.
Si, ma <u>pro</u>vi ley

Thank you. They really are tasty.
Grazie mille. È molto buona.
<u>Gra</u>tsie <u>mil</u>le. E <u>mol</u>to bu<u>o</u>na

How many would you like?
Quanta ne vuole?
Ku<u>an</u>ta ne vu<u>o</u>le

I'll take about a kilo.
Me ne dia un chilo abbondante.
Me ne <u>di</u>a un <u>ki</u>lo abon<u>dan</u>te

That's 8000 liras. Thank you very much.
Fa 8000 lire. Molte grazie.
Fa otto<u>mi</u>la <u>li</u>re. <u>Mol</u>te <u>gra</u>tsie

IN THE SUPERMARKET

Important words

baby food	**gli alimenti per la prima infanzia**
	alimenti per la prima infantsia
beer	**la birra**
	birra
bread	**il pane**
	pane
butter	**il burro**
	burro
cocoa	**il cacao**
	kakao
cake	**la torta**
	torta
cheese	**il formaggio**
	formadsho
chocolate	**la cioccolata**
	tshokolata
coffee	**il caffè**
	kafe
cream	**la panna**
	panna
egg	**l'uovo (m)**
	luovo
fish	**il pesce**
	peshe
flour	**la farina**
	farina

Where do we find ...?
Dove troviamo ...?
Dove trovyamo

To buy groceries in Italy you have, on the one hand, the speciality shops in the centre of town and alternatively the large supermarkets on the outskirts. These shopping centres have a much greater variety of goods (not just groceries) than the smaller supermarkets found scattered around the towns and they are cheaper, although not quite so full of "atmosphere". Several shops in the inner cities, open late, have a small selection of groceries.

43

frozen food	**i prodotti surgelati**	
	prodotti surdshelati	
fruit	**la frutta**	
	frutta	
honey	**il miele**	
	myele	
jam	**la marmellata**	
	marmelata	
juice	**il succo**	
	suko	
lemonade	**la limonata**	
	limonata	
margarine	**la margarina**	
	margarina	
meat	**la carne**	
	karne	
milk	**il latte**	
	latte	
oil	**l'olio (m)**	
	lolyo	
pasta	**la pasta**	
	pasta	
poultry	**il pollame**	
	polame	
rice	**il riso**	
	riso	
roll	**il panino**	
	panino	
salt	**il sale**	
	sale	

I'd like …
Mi dia …, per favore
Mi dia …, per favore

> If you turn to a shop assistant with an enquiring look he will ask you
> what you would like: **Cosa desidera?** (*Kosa desidera*). You reply
> **Vorrei …** (*Vorey* = I'd like …) or **Mi dia …** (*Mi dia* = Would you give
> me …).
>
> | a tin of | **un barattolo di …** | *un baratolo di* |
> |---|---|---|
> | a bottle of | **una bottiglia di …** | *una botilya di* |
> | a box of | **una scatola di …** | *una skatola di* |
> | a packet of | **un pacco di …** | *un pako di* |
> | a tube of | **un tubetto di …** | *un tubetto di* |

44

sausage	**la salsiccia**	
	sal<u>si</u>tsha	
soup	**la zuppa/la minestra**	
	<u>tsu</u>pa/mi<u>ne</u>stra	
spices	**le spezie**	
	<u>spe</u>tsye	
spirits	**le bevande alcoliche**	
	be<u>van</u>de al<u>ko</u>like	
sugar	**lo zucchero**	
	<u>tsu</u>kero	
sweets	**i dolciumi**	
	doltsh<u>yu</u>mi	
tea	**il tè**	
	te	
tinned food	**lo scatolame**	
	skato<u>la</u>me	
vegetables	**la verdura**	
	ver<u>du</u>ra	
wine	**il vino**	
	<u>vi</u>no	
yogurt	**lo yogurt**	
	<u>yo</u>gurt	

Important phrases

Where's the nearest supermarket?
Dov'è il prossimo supermercato?
Do<u>ve</u> il <u>pro</u>ssimo supermer<u>ka</u>to

When do you open/close?
Quando apre/chiude?
Ku<u>an</u>do <u>a</u>pre/<u>kyu</u>de

Can you please show me where ... is?
Mi può mostrare dove si trova ... qui?
Mi pu<u>o</u> mos<u>tra</u>re <u>do</u>ve si <u>tro</u>va ... ku<u>i</u>

Do you have a bag?
Ha un sacchetto?
A un sa<u>ket</u>to

45

Comparing prices

Where can I find the section with alcoholic beverages?
Dove trovo le bibite alcoliche?
Dove trovo le bibite alkolike

At the end of the last row of shelves.
Nella terza fila alla fine degli scaffali.
Nella tertsa fila alla fine delyi skafali

Is it true that beer from abroad is so expensive in Italy?
È vero che la birra straniera in Italia è molto cara?
E vero ke la birra stranyera in Italia e molto kara

Where are you from?
Lei da dove viene?
Ley da dove vyene

From England
Dall'Inghilterra.
Dall Ingiltera

Then you will find it quite a bit cheaper here.
Allora qui è chiaramente più conveniente.
Alora kui e kyaramente pyu konvenyente

Fine. I don't want to miss my beer.
Buono. Non voglio fare a meno della mia birra.
Buono. Non volyo fare a meno della mia birra

TOBACCO AND STATIONARY

Important words

words

cigar	il sigaro
	sigaro
cigarettes	le sigarette
	sigarette
cigarillo	il sigarillo
	sigarillo
lighter	l'accendino (m)
	latshendino
matches	i fiammiferi
	fyamiferi
pipe	la pipa
	pipa
pipe tobacco	il tabacco per la pipa
	tabako per la pipa
tobacco	il tabacco
	tabako

tobacco products

tabacco
tabako

adhesive tape	il nastro adesivo
	nastro adesivo
ballpoint pen	la penna a sfera
	penna a sfera
book	il libro
	libro
crayon	la matita colorata/il pastello
	matita kolorata/pastello
dictionary	il dizionario
	ditsyonario

stationary

cartoleria
kartoleria

Although smoking in public is not (yet) looked down upon in Italy, tobacco products are not sold in supermarkets, smokers will also look in vain for a cigarette machine. Cigarettes, tobacco and other paraphernalia are only obtainable in specially marked shops (**tabacchi** – *tabaki*). These shops also sell stationery and newspapers as well as telephone cards, picture postcards and usually stamps. You can also buy tickets for the local buses and sweets. The tabacchi can be recognised by a sign with a large T.

At the stationer's, besides travel guides for your holiday area, you can also purchase a good selection of maps of the region. Before you buy a too detailed map of the area you should buy an atlas (**cartina stradale** – _kartina stradale_) that covers the whole country in a large scale map scale. Compared to the cost of the individual maps it is also quite reasonably priced. Detailed maps are more suitable for tourists on a cycling holiday or for people who enjoy hiking.

envelope	la busta postale	
	busta postale	
glue	la colla	
	kolla	
magazine	la rivista	
	rivista	
map of cycling routes	la cartina delle piste ciclabili	
	kartina delle piste tshiklabili	
map of walks	la carta dei percorsi escursionistici	
	karta dei perkorsi eskursyonistitshi	
newspaper	il giornale	
	dshornale	
notepad	il bloc-notes	
	blok-not	
paper	la carta	
	karta	
pencil	la matita	
	matita	
picture book	il libro illustrato	
	libro illustrato	
playing cards	le carte da gioco	
	karte da dshoko	
pocket book	il libro tascabile	
	libro taskabile	
postcard	la cartolina	
	kartolina	
road map	la cartina stradale	
	kartina stradale	
rubber	la gomma per cancellare	
	gomma per kantshelare	

stamp	**il francobollo**
	frankobollo
street map	**la cartina della città**
	kartina della tshita
travel guide	**la guida**
	guida
wrapping paper	**la carta da regalo**
	karta da regalo
writing paper	**la carta da lettere**
	karta da lettere

Important phrases

A packet of ..., please.
Un pacchetto di ..., per favore.
Un paketto di ..., per favore

A tin of pipe tobacco, please.
Vorrei del tabacco per la pipa.
Vorey del tabako per la pipa

Could I have a box of matches, please?
Una scatola di fiammiferi, per favore.
Una skatola di fyamiferi, per favore

Do you have English newspapers?
Ha dei giornali inglesi?
A dei dshornali inglesi

Do you sell stamps, too?
Ha anche dei francobolli?
A anke dei frankobolli

I'd like a map of the area, please.
Vorrei una cartina della zona.
Vorey una kartina della tsona

When is the next delivery of newspapers?
Quando avviene la prossima consegna di giornali?
Kuando avvyene la prossima konsenya di dshornali

49

Buying a newspaper

Do you also have English newspapers?
Ha anche dei giornali inglesi?
A anke dei dshornali inglesi

Have a look in the rack in front of the door.
Guardi un attimo sullo scaffale all'entrata.
Guardi un atimo sullo skafale allentrata

Oh yes, I see them. Do you also have the
latest editions?
Ah sì, li vedo. Ha già l'edizione nuova?
Ah si, li vedo. A dsha leditsyone nuova

You're a little early. Today's editions don't
arrive until around midday.
**No, è arrivato un po' troppo presto. L'edizione
di oggi arriva verso mezzogiorno.**
*No, e arivato un po troppo presto. Leditsyone
di odshi ariva verso medsodshorno*

Then I'll come back later.
Allora vengo più tardi.
Alora vengo pyu tardi

Don't you want to take a local paper?
Non vuole un giornale locale?
Non vuole un dshiornale lokale

I'm not sure if my Italian is good enough for
that ...
Non so se il mio italiano è sufficiente.
Non so se il mio italyano e sufitshente

Why not give it a try.
Ci provi.
Tshi provi

In the Boutique

Important words

anorak	**la giacca a vento**
	dshiaka a vento
bathrobe	**l'accappatoio (m)**
	lakapatoyo
belt	**la cintura**
	tshintura
bikini	**il bikini/il due pezzi**
	bikini/due petsi
blouse	**la camicetta**
	kamitshetta
bra	**il reggiseno**
	redshiseno
briefs	**le mutande**
	mutande
cap	**il berretto**
	beretto
cardigan	**la giacca di lana**
	dshaka di lana
coat	**il cappotto**
	kapotto
dress	**il vestito**
	vestito
evening dress	**l'abito (m) da sera**
	labito da sera
gloves	**i guanti**
	guanti
hat	**il cappello**
	kappello
jacket	**la giacca**
	dshaka
jeans	**i jeans**
	dshins
nightdress	**la camicia da notte**
	kamitsha da notte
pullover	**il maglione**
	malyone

clothing

vestiario
vestyaryo

shirt
– long sleeves
  le maniche lunghe
  le manike lunge
– short sleeves
  le maniche corte
  le manike korte

51

Useful words when buying clothes		
colour	**i colori**	*ko<u>lo</u>ri*
beige	**beige**	*behsh*
black	**nero**	*<u>ne</u>ro*
blue	**blu**	*blu*
brown	**marrone**	*ma<u>ro</u>ne*
dark	**scuro**	*<u>sku</u>ro*
golden	**dorato**	*do<u>ra</u>to*
green	**verde**	*<u>ver</u>de*
light	**chiaro**	*<u>kya</u>ro*
navy	**blu scuro**	*blu <u>sku</u>ro*
orange	**arancione**	*aran<u>tsho</u>ne*
pink	**rosa**	*<u>ro</u>sa*
purple	**lilla**	*<u>lil</u>la*
red	**rosso**	*<u>ros</u>so*
silver	**argento**	*ar<u>dshen</u>to*
turquoise	**turchese**	*tur<u>ke</u>se*
violet	**viola**	*vi<u>o</u>la*
white	**bianco**	*<u>byan</u>ko*
yellow	**giallo**	*<u>dshal</u>lo*
material	**il materiale**	*mate<u>rya</u>le*
cotton	**il cotone**	*ko<u>to</u>ne*
crocheted	**lavorato all'uncinetto**	*lavo<u>ra</u>to aluntshi<u>net</u>to*
flannel	**la flanella**	*fla<u>nel</u>la*
knitted	**fatto a maglia**	*<u>fat</u>to a <u>mal</u>ya*
lambswool	**la lana di agnello**	*<u>la</u>na di an<u>yel</u>lo*
leather	**la pelle**	*<u>pel</u>le*
linen	**il lino**	*<u>li</u>no*
material	**la stoffa**	*<u>stof</u>fa*
natural fibre	**le fibre naturali**	*<u>fi</u>bre natu<u>ra</u>li*
plastic	**la plastica**	*<u>plas</u>tika*
silk	**la seta**	*<u>se</u>ta*
suede	**il camoscio**	*ka<u>mo</u>sho*
synthetic material	**le fibre sintetiche**	*<u>fi</u>bre sin<u>te</u>tike*
wool	**la lana**	*<u>la</u>na*
woven	**tessuto**	*tes<u>su</u>to*
pattern	**il disegno**	*di<u>sen</u>jo*
checked	**a quadri**	*a ku<u>a</u>dri*
herringbone	**disegno a spina di pesce**	*di<u>sen</u>yo a <u>spy</u>na di <u>pe</u>she*
patterned	**a disegni**	*a di<u>sen</u>yi*
spotted	**a puntini**	*a pun<u>ti</u>ni*
striped	**a righe**	*a <u>ri</u>ge*
uni	**in tinta unita**	*in <u>tin</u>ta u<u>ni</u>ta*

pyjamas	il pigiama
	pidshama
raincoat	l'impermeabile (m)
	limpermeabile
scarf	la sciarpa / il foulard
	sharpa / _fular_
shirt	la camicia
	kamitsha
skirt	la gonna
	gonna
socks	i calzini
	kaltsini
sportsjacket	la giacca
	dshiaka
stockings	le calze
	kaltse
suit	il tailleur
	tayoer

Milan is one of the most important centres of the fashion industry. In the 1950s this north Italian city took the world by storm with its regular fashion trade fair (Alta Moda Italiana) and became, beside Paris, a centre for haute couture. In the 1960s the Milan fair Alta Moda Pronta took up the idea of prêt-à-porter that had begun in France. The creations from the great designers were suddenly affordable and wearable for everyone. Italian fashion designers constantly create new points of focus.

In the 1930s Elsa Schiaparelli shocked the fashion world with her »torn dress«, the »Circus« collection and made the zip in evening wear fashionable. Her fellow countryman Gianfranco Ferré was head of the Christian Dior fashion house from the end of the 1980s; even more famous is Giorgio Armani with his collections of men's leisure wear and masculine women's clothing. However, if you want to buy some of his fashions in Milan don't forget your credit card ...

swimming costume	il costume da bagno
	kostume da banyo
swimming trunks	i calzoncini da bagno
	kaltsontshini da banyo
tie	la cravatta
	kravatta

tights	**il collant**	
	kolah	
tracksuit	**la tuta da ginnastica**	
	tuta da dshinastika	
trousers	**i pantaloni**	
	pantaloni	
underwear	**la biancheria intima**	
	byankeria intima	
waistcoat	**il golf**	
	golf	

shoes

scarpe
skarpe

	boots	**gli stivali**
		stivali
	children's shoes	**le scarpe da bambini**
		skarpe da bambini
	court shoes	**le decolleté**
		dekoleteh
	rubber boots	**gli stivali di gomma**
		stivali di gomma
	sandals	**i sandali**
		sandali
	shoes	**le scarpe basse**
		skarpe basse
	slippers	**le pantofole**
		pantofole
	trainers	**le scarpe da ginnastica**
		skarpe da dshinastika
	walking shoes	**le scarpe da escursione**
		skarpe da eskursyone

I'd like a pair of …
Vorrei un paio di …
Vorey un payo di

> **Useful words when buying shoes**
>
> | | | |
> |---|---|---|
> | heel | **il tacco** | *tako* |
> | insole | **la soletta** | *soletta* |
> | shoes | **le scarpe** | *skarpe* |
> | shoebrush | **la spazzola per le scarpe** | *spatsola per le skarpe* |
> | shoehorn | **il calzatoio** | *kaltsatoyo* |
> | shoelaces | **i lacci per le scarpe** | *latshi per le skarpe* |
> | shoe polish | **il lucido da scarpe** | *lutshido da skarpe* |
> | size | **il numero di scarpe** | *numero di skarpe* |

Important phrases

Can you show me sweaters?
Mi fa vedere dei maglioni?
Mi fa vedere dei malyoni

I'm a size fourty.
Ho la taglia quaranta.
O la talya kuaranta

Do you have it in another size?
Ha anche altre taglie?
A anke altre talye

Can I try it on?
Lo posso provare?
Lo posso provare

Where are the fitting rooms?
Dove sono le cabine?
Dove sono le kabine

Do you have a mirror?
Ha uno specchio?
A uno spekyo

What material is this?
Di che materiale è?
Di ke materiale e

It's a good fit.
Questo va bene.
Kuesto va bene

It's too small.
È troppo piccolo.
E troppo pikolo

How much is it?
Quanto costa?
Kuanto kosta

It doesn't suit me.
Non mi sta bene.
Non mi sta bene

I don't like that so much.
Non mi piace.
Non mi pyatshe

Is there anything else you could show me?
Mi può mostrare qualcos'altro?
Mi puo mostrare kualkosaltro

Will it shrink?
Si restringe lavando?
Si restrindshe lavando

Can I exchange this?
Lo posso cambiare?
Lo posso kambyare

I'll have to think about it.
Ci devo pensare ancora un po'.
Tshi devo pensare ankora un po

I take size ...
Ho il numero ...
O il numero

Sorry, the shoes are too big/too small.
**Purtroppo le scarpe sono troppo grandi/
troppo piccole.**
*Purtroppo le scarpe sono troppo grandi/troppo
pikole*

The shoes are tight around here.
Le scarpe mi fanno male qui.
Le scarpe mi fanno male kui

The heels are too high/too low.
I tacchi sono troppo alti/troppo bassi.
I takki sono troppo alti/troppo bassi

Buying a shirt

Hello. What can I do for you?
Buongiorno. Posso esserLe d'aiuto?
Buondshorno. Posso esserle dayuto

I'm looking for a shirt.
Cerco una camicia.
Tsherko una kamitsha

What size do you take?
Che taglia porta?
Ke talya porta

Collar size 42.
La larghezza del collo è 42.
La largetsa del kollo e kuarantadue

Short or long sleeved?
La vuole a maniche corte o lunghe?
La vuole a manike korte o lunge

Long sleeved and checked.
A maniche lunghe e a quadretti.
A manike lunge e a kuadretti

Have a look over here.
Guardi un po' qui.
Guardi un po kui

I like it. Can I exchange it if it doesn't fit?
Questa mi piace. Posso cambiarla se non mi va?
Kuesta mi pyatshe. Posso kambyarla se non mi va

Certainly.
Certamente.
Tshertamente

In the Jeweller's

words

Important words

bracelet	**il bracciale**
	bratshale
brass	**l'ottone (m)**
	lotone
brilliants	**il brillante**
	brilante
brooch	**la spilla**
	spilla
carat	**il carato**
	karato
chain	**la collana/la catenina**
	kolana/katenina
costume jewellery	**la bigiotteria**
	bidshotteria
crystal	**il cristallo**
	kristallo
diamond	**il diamante**
	dyamante
earrings	**gli orecchini**
	orekini
emerald	**lo smeraldo**
	smeraldo
gold	**l'oro (m)**
	loro
pearl	**la perla**
	perla
pendant	**il ciondolo**
	tshondolo
platinum	**il platino**
	platino
ruby	**il rubino**
	rubino
sapphire	**lo zaffiro**
	tsafiro
silver	**l'argento (m)**
	lardshento

gold-plated
placcato in oro
plakato in oro

silver-plated
placcato in argento
plakato in ardshento

watch	l'orologio (m)
	loro<u>lo</u>dsho
watchstrap	il cinturino
	tshintu<u>ri</u>no

Important phrases

I'm looking for a nice little present.
Cerco un bel regalo.
<u>Tsher</u>ko un bel re<u>ga</u>lo

What's this made of?
Di che materiale è?
Di ke mate<u>ria</u>le e

How many carats has it?
Qual è la parte in oro?
Kual <u>e</u> la <u>par</u>te in <u>o</u>ro

What hallmark has it got?
Qual è la parte in argento?
Kual <u>e</u> la <u>par</u>te in ar<u>dshen</u>to

How much is it?
Quanto costa?
Ku<u>an</u>to <u>kos</u>ta

My watch doesn't work. Could you have a
look at it?
**Il mio orologio non va più. Potrebbe darci
un'occhiata?**
*Il <u>mio</u> oro<u>lo</u>dsho non va pyu. Po<u>tre</u>be <u>dar</u>tshi
uno<u>kya</u>ta*

I need a new battery for my watch.
**Ho bisogno di una batteria nuova per il mio
orologio (da polso).**
*O bi<u>son</u>yo di <u>u</u>na batte<u>ria</u> nu<u>o</u>va per il <u>mio</u>
oro<u>lo</u>dsho (da <u>pol</u>so)*

dialogue

The broken watch

I have a problem with my watch.
Ho dei problemi con il mio orologio.
O dei problemi kon il mio orolodsho

Is it broken?
È rotto?
E rotto

I think so. It doesn't work.
Penso di sì. Non funziona.
Penso di si. Non funzyona

When did you last change the battery?
Quando ha cambiato l'ultima volta la batteria?
Kuando a kambyato lultima volta la batteria

Less than a month ago.
Non è passato neanche un mese.
Non e passato neanke un mese

Then that can't be the problem.
Allora non è questo il difetto.
Alora non e kuesto il difetto

Can you repair that?
Può ripararla?
Puo ripararla

Yes, but it will take two days.
Sì. Però dura due giorni.
Si, Pero dura due dshorni

IN THE SOUVENIR SHOP

Important words

words

blanket	la coperta
	koperta
book	il libro
	libro
ceramics	la ceramica
	tsheramika
china	la porcellana
	portshelana
cup	il calice
	kalitshe
handicraft	il lavoro fatto a mano
	lavoro fatto a mano
jewellery	i gioielli
	dshoyelli
leatherware	la pelletteria
	pelleteria
painting	il quadro
	kuadro
silver	l'argento (m)
	lardshento
souvenir	il souvenir
	suvnir

handmade
fatto a mano
fatto a mano

hand-embroidered
ricamato a mano
rikamato a mano

hand-carved
intagliato a mano
intalyato a mano

handwoven
tessuto a mano
tessuto a mano

Each year as the holiday is nearing its end the question arises as to what to bring the »loved ones« back home. Italy has plenty to offer in this area. Anyone standing in front of a shop with the sign **artigianato** can expect to find a great variety of handicrafts inside. You will also often find many pottery shops offering handmade goods.

If you are looking for something more expensive then perhaps an antique shop (**antichità; negozio di antiquariato**) is the right place for you. Good, cheap souvenirs can often be found in the numerous markets - including clothes and typical fabrics - or at the flea market (**mercato delle pulci**).

You are sure not to make a mistake if you choose to bring back a culinary souvenir from one of the many regions or a good bottle of wine or prosecco.

toy	il giocattolo
	dshokatolo

Important phrases

I'm looking for a souvenir of this area.
Cerco un souvenir di questa zona.
Tsherko un suvnir di kuesta dsona

Is this handmade?
È fatto a mano?
E fatto a mano

Do you have a bag?
Ha un sacchetto?
A un saketto

Can I pay by credit card?
Posso pagare con la carta di credito?
Posso pagare kon la karta di kredito

A typical souvenir

Are you looking for something specific?
Cerca qualcosa di particolare?
Tsherka kualkosa di partikolare

I'd like something that is typical for this region.
Vorrei qualcosa di tipico della zona.
Vorey kualkosa di tipiko della dsona

We have several things that fit that category.
Ecco qui alcune cose.
Ekko kui alkune kose

Could you show me a few?
Potrebbe farmele vedere, per favore?
Potrebe farmele vedere, per favore

Certainly. These blankets were woven about three miles away from here.
Volentieri. Queste coperte vengono tessute a circa tre chilometri da qui.
Volentyeri. Kueste koperte vengono tessute a tshirka tre kilometri da qui

How much do the blankets cost?
Quanto costano?
Kuanto kostano

Depending on the pattern, up to 110 000 liras.
A seconda del motivo fino a 110 000 lire.
A sekonda del motivo fino a tshento-dyetshimila lire

That is rather expensive.
Però è caro.
Pero e karo

That's true, but they are all handwoven.
Sì, ma sono tutte fatte a mano.
Si, ma sono tutte fatte a mano

Do you also have any pottery?
Ha anche delle ceramiche?
A anke delle tsheramike

Of course. These jugs are from a local potter.
Certamente. Queste caraffe sono state fatte da un vasaio del vicinato.
Tshertamente. Kueste karaffe sono state fatte da un vasayo del vitshinato

I like the jugs. I'll take two of them.
Le caraffe mi piacciono. Ne prendo due.
Le karaffe mi pyatshono. Ne prendo due

63

words

IN THE CHEMIST'S

Important words

baby oil	l'olio emolliente (m)
	lolyo emolyente
brush	la spazzola
	spatsola
comb	il pettine
	petine
condoms	i profilattici/i preservativi
	profilatitshi/preservativi
cotton buds	i bastoncini cotonati
	bastontshini kotonati
cotton wool	l'ovatta (f)
	lovatta
day cream	la crema da giorno
	krema da dshorno
deodorant	il deodorante
	deodorante
detergent	il detersivo
	detersivo
dishcloth	lo strofinaccio asciugapiatti
	strofinatsho ashugapyatti
dummy	il ciuccio
	tshutsho
eye shadow	l'ombretto (m)
	lombretto
flannel	il guanto di spugna
	guanto di spunya
hair curlers	il bigodino
	bigodino
hair dryer	l'asciugacapelli (m)
	lashugakapelli
hairgrips	il fermaglio per capelli
	fermalyo per kapelli
hairspray	la lacca
	lakka
handcream	la crema per le mani
	krema per le mani

skin cream
– for dry skin
per pelle secca
per pelle sekka
– for oily skin
per pelle grassa
per pelle grassa
– for normal skin
per pelle normale
per pelle normale

handkerchiefs	**i fazzoletti**	
	*fatso*letti*	
lipstick	**il rossetto**	
	*ros*setto*	
make-up	**il trucco**	
	*truk*ko*	
mascara	**il mascara**	
	*mas*kara*	
mirror	**lo specchio**	
	*spe*kyo*	
mosquito repellent	**il fornellino antizanzare**	
	*forne*lino* antitsan*tsa*re*	
nail-brush	**la spazzola per le unghie**	
	*spat*sola per le *ung*ye*	
nail-file	**la limetta per le unghie**	
	*li*met*ta per le *ung*ye*	
nail scissors	**le forbici per le unghie**	
	*for*bitshi per le *ung*ye*	
nail varnish	**lo smalto per le unghie**	
	*smal*to per le *ung*ye*	
nail varnish remover	**il solvente per lo smalto**	
	*sol*ven*te per lo *smal*to*	
nappies	**i pannolini**	
	*panno*lini*	
night cream	**la crema da notte**	
	*kre*ma da *not*te*	
perfume	**il profumo**	
	*pro*fu*mo*	
plaster	**il cerotto**	
	*tshe*rot*to*	
powder	**la cipria**	
	*tshi*prya*	
razor blade	**la lametta**	
	*la*met*ta*	

65

You will be able to obtain most of the sun lotions in Italy that you know from home. Also the sun protection factors – **il fattore di protezione** *(fatore di protetsyone)* –are the same as back home.

	sanitary towels	**gli assorbenti igienici**
		assorbenti idshyenitshi
shampoo	shampoo	**lo shampoo**
– for greasy hair		*shampu*
per capelli grassi	shaver	**il rasoio**
per kapelli grassi		*rasoyo*
– for normal hair	shaving cream	**la crema da barba**
per capelli normali		*krema da barba*
per kapelli normali	shaving foam	**il sapone da barba**
– for dandruff		*sapone da barba*
antiforfora	skin cream	**la crema per la pelle**
antiforfora		*krema per la pelle*
	soap	**la saponetta**
		saponetta
	sponge	**la spugna**
		spunya
	stain remover	**lo smacchiatore**
		smakyatore
	styling gel	**il gel per capelli**
		dshel per kapelli
	suntan oil	**l'olio solare (m)**
		lolyo solare
	tampons	**i tamponi**
		tamponi
	tissue	**i fazzoletti di carta**
	handkerchiefs	*fatsoletti di karta*
	toilet paper	**la carta igienica**
		karta idshyenika
	toothbrush	**lo spazzolino da denti**
		spatsolino da denti
	toothpaste	**il dentifricio**
		dentifritsho
	toothpick	**lo stuzzicadenti**
		stutsikadenti
	tweezers	**le pinzette**
		pintsette

66

Suntan oil

dialogue

Do you have sunscreen with a high sun
   protection factor?
**Ha una crema solare ad alta
   protezione?**
A una krema solare ad alta protetsyone

I can recommend this cream.
Posso consigliarLe questa.
Posso konsilyarle kuesta

Is it suitable for children as well?
È adatta anche per bambini?
E adatta anke per bambini

Yes, but don't put it on too thinly.
**Sì, ma si ricordi di non metterne
   troppo poco.**
*Si, ma si rikordi di non metterne troppo
   poko*

Do you also have something for
   sunburn?
**Ha anche qualcosa contro le
   scottature?**
A anke kualkosa kontro le skottature

This ointment here is excellent.
Questa crema è favolosa.
Kuesta krema e favolosa

Don't you have anything else?
Non ha nient'altro?
Non a nyentaltro

I'm sorry we don't.
No, mi dispiace.
No, mi dispyatshe

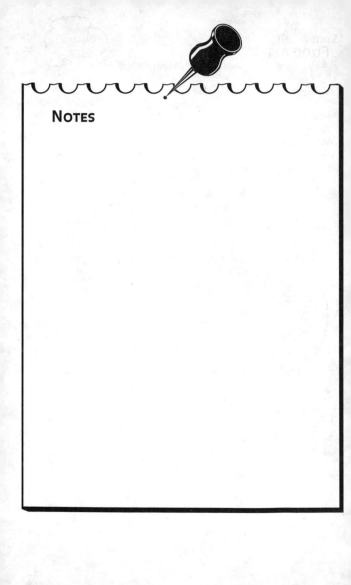

NOTES

FOOD AND DRINK

Contents

IN A RESTAURANT

Important words

menu	bill	**il conto**
		konto
starter	bottle	**la bottiglia**
antipasto		*botilya*
antipasto	bread	**il pane**
		pane
first course	to bring	**portare**
primo piatto		*portare*
primo pyatto	cake	**la torta**
		torta
second course	cold	**freddo**
secondo piatto		*freddo*
sekondo pyatto	complaint	**il reclamo**
		reklamo
dessert	crudites	**le verdure crude**
dolce		*verdure krude*
doltsche	cup	**la tazza**
		tatsa
cheese	diabetic	**il diabetico**
formaggio		*diabetiko*
formadscho	dinner	**la cena**
		tshena
	dish of the day	**il piatto del giorno**
		pyatto del dshorno
	to drink	**bere**
		bere

If you intend to finish off a beautiful day in Italy with a meal in a good restaurant then you should think about reserving a table in good time so as not to experience an unpleasant surprise. In Italy it is not usual to pick your table yourself; you will generally be shown to a table by one of the staff.

There is no sweeping answer to the question as to what is a reasonable tip (**mancia**, *mansha*). For meals in a restaurant you are charged the so-called **coperto** (*koperto*) - a cover charge for cutlery and bread. However, diners are expected to round up the bill as a tip.

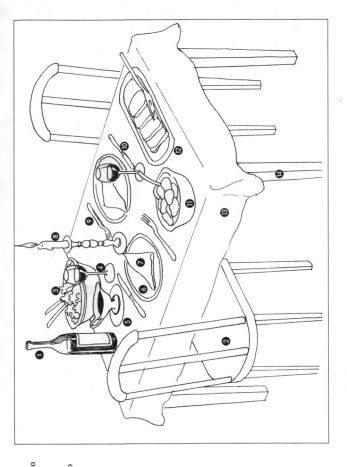

1. la bottiglia di vino
2. la sedia
3. l'insalatiera (f)
4. il bicchiere di vino rosso
5. la salsiera
6. il piatto
7. il tovagliolo
8. la candela
9. la forchetta
10. il coltello
11. la scodella
12. la sperlunga
13. la tovaglia
14. la tavola

71

wine	drink	la bevanda
		bevanda
dry	to eat	mangiare
secco		*mandshare*
sekko	Enjoy your meal	buon appetito
		buon apetito
medium	fish	il pesce
semisecco		*peshe*
semisekko	food	il pasto
		pasto
sweet	fresh	fresco
dolce		*fresko*
doltsche	fruit	la frutta
		frutta
	homemade	fatto in casa
		fatto in kasa
	hot	caldo
		kaldo
	lean	magro
		magro
	lunch	il pranzo
		prantso

Typical Italian drinks

l'amaretto (m)	*lamaretto*	almond liqueur
l'amaro (m)	*lamaro*	bitters
la grappa	*grappa*	marc spirit
il marsala	*marsala*	liqueur wine
il prosecco	*prosekko*	sparkling wine
la sambuca	*sambuka*	aniseed spirit
lo spumante	*spumante*	sparkling wine
la vecchia romagna	*vekya romanya*	a type of brandy

---

meal	il piatto
	pyatto
meat	la carne
	karne
menu	il menù
	menu
oil	l'olio (m)
	lolyo

Important drinks

beer	la birra	*birra*
black coffee	il caffè nero	*kafe nero*
camomile tea	la camomilla	*kamomilla*
cocoa	il cacao	*kakao*
coffee	il caffè	*kafe*
coffee with milk	il cappuccino	*kaputshino*
decaffeinated coffee	il caffè decaffeinato	*kafe dekafeinato*
draught beer	la birra alla spina	*birra alla spina*
espresso	l'espresso (m)	*lespresso*
fruit tea	il tè alla frutta	*te alla frutta*
fruit juice	il succo di frutta	*suko di frutta*
grappa	la grappa	*grappa*
herbal tea	l'infuso (m) di erbe	*linfuso di erbe*
hot chocolate	la cioccolata	*tshokolata*
juice	il succo	*suko*
lemonade	la limonata	*limonata*
milk	il latte	*latte*
mineral water	l'acqua minerale (f)	*lakua minerale*
non-alcoholic beer	la birra analcolica	*birra analkolika*
orange lemonade	l'aranciata (f)	*larantshata*
red wine	il vino rosso	*vino rosso*
sparkling mineral water	l'acqua minerale gassata (f)	*lakua minerale gassata*
sparkling wine	lo spumante	*spumante*
spirits	l'acquavite (f)	*lakuavite*
still mineral water	l'acqua minerale naturale (f)	*lakua minerale naturale*
tea	il tè	*te*
water	l'acqua (f)	*lakua*
white wine	il vino bianco	*vino byanko*
wine	il vino	*vino*

to order	ordinare	
	ordinare	
to pay	pagare	
	pagare	
pepper	il pepe	
	pepe	
pub	la birreria	
	birreria	
raw	crudo	
	krudo	
receipt	la ricevuta	
	ritshevuta	

<table>
<tr><td>ordering</td><td>to recommend</td><td>consigliare
konsil<u>ya</u>re</td></tr>
<tr><td>I'll have …
Prendo …
<u>Prendo</u></td><td>reservation</td><td>la prenotazione
prenota<u>tsyo</u>ne</td></tr>
<tr><td></td><td>salad</td><td>l'insalata (f)
linsa<u>la</u>ta</td></tr>
<tr><td>Please, bring me …
Mi porti …
Mi <u>por</u>ti</td><td>salt</td><td>il sale
<u>sa</u>le</td></tr>
<tr><td></td><td>set meal</td><td>il menù
me<u>nu</u></td></tr>
<tr><td>Some more …, please.
Ancora un poco
  di …, per favore
An<u>ko</u>ra un <u>po</u>ko di …,
  per fa<u>vo</u>re</td><td>soup</td><td>la zuppa
<u>tsu</u>pa</td></tr>
<tr><td></td><td>spice</td><td>la spezia
<u>spe</u>tsia</td></tr>
<tr><td></td><td>sugar</td><td>lo zucchero
<u>tsu</u>kero</td></tr>
<tr><td></td><td>sweetener</td><td>il dolcificante
doltshifi<u>kan</u>te</td></tr>
<tr><td></td><td>toilet</td><td>il gabinetto/
  la toilette
gabi<u>net</u>to/
  twa<u>let</u></td></tr>
<tr><td></td><td>vegetables</td><td>la verdura
ver<u>du</u>ra</td></tr>
<tr><td></td><td>vegetarian</td><td>vegetariano
vedshetar<u>ya</u>no</td></tr>
<tr><td></td><td>vinegar</td><td>l'aceto (m)
la<u>tshe</u>to</td></tr>
<tr><td></td><td>waiter</td><td>il servizio / il cameriere
ser<u>vi</u>tsyo / kamer<u>ye</u>re</td></tr>
</table>

Typical Italian Dishes

bistecca alla fiorentina	*bis<u>te</u>ka <u>a</u>lla fyoren<u>ti</u>na*	thick steak
caprese	*ka<u>pre</u>se*	mozzarella with tomatoes and basil
carpaccio	*kar<u>pa</u>tsho*	raw marinated meat
lasagna	*la<u>sa</u>nya*	pasta plates au gratin
minestrone	*mines<u>tro</u>ne*	vegetable soup
pizza	*<u>pit</u>sa*	pizza
risotto	*ri<u>so</u>tto*	baked rice
saltimbocca	*saltim<u>bo</u>ka*	veal escalope with sage

Breakfast in Italy is usually rather frugal - generally just coffee and white bread or brioches. Lunch is usually also not a large meal - the locals eat a sandwich or a salad. But Italians take plenty of time in the evening for a substantial meal that is often eaten in a restaurant: after the aperitif the entree is served, followed by a first and second course then dessert, fruit or cheese. Bread is served without diners having to ask for it especially.

Water and wine belong to every good meal as does an espresso to finish it off. If you do not want to »out« yourself as a foreigner in a restaurant then do not order a cappuccino - the Italians only drink it in the morning. Finally, after the espresso you order a spirit for the digestion (e.g., grappa) or a liqueur.

Important phrases

Can you recommend a good restaurant?
Ci può raccomandare un buon ristorante?
Tshi puo rakomandare un buon ristorante

I'd like to book a table for two for tomorrow evening.
Vorrei prenotare un tavolo per due persone per domani.
Vorey prenotare un tavolo per due persone per domani

What do you recommend?
Che cosa ci consiglia?
Ke kosa tshi konsilya

I'd like tomato salad as a starter.
Per antipasto vorrei un'insalata di pomodori.
Per antipasto vorey uninsalata di pomodori

Do you have any regional specialities?
Ha anche delle specialità della regione?
A anke delle spetshalita della redshone

Which wine is the best for the main course?
Qual è un vino adatto per il primo piatto?
Kual e un vino adatto per il primo pyatto

The meal's …
Il pasto è …
Il pasto e …

… nice
… buono
… buono

… excellent
… eccellente
… etshelente

… fatty
… troppo grasso
… troppo grasso

… oversalted
… salato
… salato

75

Important dishes

antipasti, minestre, insalate	*antipasti, minestre, insalate*	**hors d'œvres, soups salads**
affettato	*affetato*	a selection of cold meats
brodo	*brodo*	bouillon
caprese	*kaprese*	mozzarella, tomatoes and basil
carciofini	*kartshofini*	artichokes
carpaccio	*karpatsho*	raw marinated meat
crostini	*krostini*	toasted bread with a topping
insalata di pomodori	*insalata di pomodori*	tomato salad
insalata mista	*insalata mista*	mixed salad
minestrone	*minestrone*	vegetable soup
prosciutto e melone	*proshutto e melone*	melon and ham
tonno e fagioli	*tonno e fadsholi*	tuna and beans
zuppa di pesce	*tsupa di peshe*	fish soup

primi piatti	*primi pyatti*	**first course**
cannelloni	*kanneloni*	filled pasta-rolls
fettuccine	*fetutshine*	sort of ribbon-macaroni
gnocchi	*nyoki*	small potato dumplings
lasagna	*lasanya*	plates of pasta au gratin
pasta alla bolognese	*pasta alla bolonyese*	pasta with meat sauce
pasta alla carbonara	*pasta alla karbonara*	pasta with ham and eggs
pasta alla panna	*pasta alla panna*	pasta with cream
pasta all'arrabbiata	*pasta alarabyata*	pasta in hot sauce
pasta al pesto	*pasta al pesto*	pasta with basil, stone-pine kernels and cheese
pasta al sugo	*pasta al sugo*	pasta with meat sauce
penne	*penne*	small noodles
polenta	*polenta*	mush
tagliatelle	*talyatelle*	ribbon-macaronis
risotto	*risotto*	risotto

secondi piatti: pesce, crostacei	*sekondi pyatti: peshe, krostatshei*	**second course: fish, sea-food**
anguilla	*anguilla*	eel
baccalà	*bakala*	dried cod
calamari	*kalamari*	squids
cozze	*kotse*	mussels
gamberetti	*gamberetti*	shrimps
rombo	*rombo*	turbot
salmone	*salmone*	salmon
tonno	*tonno*	tuna
triglia	*trilya*	barb
trota	*trota*	trout

carne	_karne_	meat
agnello	_anyello_	lamb
anatra	_anatra_	duck
bistecca	_bisteka_	steak
braciola	_bratshola_	rumpsteak
capriolo	_kapriolo_	roe
cervello	_tshervello_	brain
cervo	_tshervo_	venison
cinghiale	_tshingyale_	boar
coniglio	_konilyo_	rabbit
costoletta	_kostoletta_	cutlet
fagiano	_fadshano_	pheasant
fegato	_fegato_	liver
filetto	_filetto_	fillet
lepre	_lepre_	hare
maiale	_mayale_	pork
manzo	_mantso_	beef
montone	_montone_	mutton
oca	_oka_	goose
ossobuco	_ossobuko_	knuckles
pollo	_pollo_	cockerel
polpette	_polpette_	meat sauce
salsicce	_salsitshe_	sausages
saltimbocca	_saltimboka_	veal escalope
scaloppina	_skalopina_	escalope
stufato	_stufato_	braised beef
vitello	_vitello_	veal

verdura, contorni	_verdura, kontorni_	vegetables, side-orders
aglio	_alyo_	garlic
asparagi	_asparadshi_	asparagus
carciofi	_kartshofi_	artichokes
cavolfiore	_kavolfyore_	cauliflower
cipolle	_tshipolle_	onions
fagioli	_fadsholi_	beans
finocchi	_finoki_	fennel
funghi	_fungi_	mushrooms
lenticchie	_lentikye_	lentils
melanzane	_melandsane_	aubergines
patate	_patate_	potatoes
peperoni	_peperoni_	peppers
piselli	_piselli_	peas
pomodori	_pomodori_	tomatoes
porcini	_portshini_	yellow boletus
riso	_riso_	rice
spinaci	_spinatshi_	spinach
tartufo	_tartufo_	truffle
zucchine	_tsukine_	courgette

Important dishes		
dolci, frutta	_doltshi, frutta_	dessert, fruit
amaretti	_amaretti_	almond bicuits
brioche	_brioshe_	croissant
budino	_budino_	custard
cassata	_kassata_	ice cream with candied fruit
crema	_krema_	sweet milk-egg-cream
crema al caramello	_krema al karamello_	caramel creme
gelato	_dshelato_	ice cream
macedonia	_matshedonia_	fruit salad
meringa	_meringa_	meringue
panna cotta	_panna kotta_	cream pudding
semifreddo	_semifreddo_	parfait
sfogliata	_sfolyata_	filled puff pastry
tartufo	_tartufo_	ice cream covered in chocolate
tiramisù	_tiramisu_	mascarpone-sponge-dessert
zabaione	_dsabayone_	whipped egg white with marsala
zuppa inglese	_tsupa inglese_	similar to trifle

I'll have the menu for 50 000 liras.
Prendo il menù da cinquantamila lire.
Prendo il menu da tshinkuantamila lire

I'll have a well done steak, please.
Per me una bistecca ben arrostita, per favore.
Per me una bisteka ben arostita, per favore

The bill, please.
Il conto, per favore.
Il konto, per favore

expensive
caro
karo

The meal was excellent.
Il pranzo era eccellente.
Il prantso era etshelente

cheap
non costoso
non kostoso

Did you forget my glass of red wine?
Pensa ancora al mio bicchiere di vino rosso, per favore?
Pensa ankora al mio bikyere di vino rosso, per favore

78

In the restaurant

dialogue

We'd like a table for two, please.
Un tavolo per due persone, per favore.
Un tavolo per due persone, per favore

Did you make a reservation?
Ha prenotato?
A prenotato

Unfortunately not.
Purtroppo no.
Purtroppo no

There's still an empty table.
Un tavolo è ancora libero.
Un tavolo e ankora libero

Would you please bring us the menu?
Ci può portare il menù, per favore?
Tshi puo portare il menu, per favore

The following words will help you in a restaurant in telling the waiter how you would like your food cooked. If you do not say exactly how well cooked you wish your meat it is usually served bloody (**al sangue**).

au gratin	**gratinato**	*gratinato*
baked	**al forno**	*al forno*
filled	**ripieno**	*ripyeno*
cooked	**bollito**	*bolito*
grilled	**alla griglia**	*alla grilya*
home-made	**fatto in casa**	*fatto in kasa*
marinated	**marinato**	*marinato*
rare	**al sangue**	*al sangue*
roasted	**arrosto**	*arosto*
smoked	**affumicato**	*afumikato*
steamed	**stufato**	*stufato*
well done	**ben arrostito**	*ben arostito*

Are you ready to order?
Ha deciso?
A de__tshi__so

We'll both have the menu and two glasses of
  sparkling wine as aperitif.
**Vorremmo due menù e come aperitivo due
  prosecchi, per favore.**
*Vo__re__mmo __du__e me__nu__ e __ko__me aperi__ti__vo __du__e
  pro__sekk__i, per fa__vo__re*

Would you also like some wine?
Desidera anche un vino?
Desi__de__ra __an__ke un __vi__no

Yes, please, a good red wine.
Sì, un ottimo vino rosso.
Si, un __o__timo __vi__no __ro__sso

The house wine is very good and not expensive.
**Il vino di produzione propria è eccellente ed
  economico.**
*Il __vi__no di produ__tsyo__ne __pro__prya e etshe__le__nte ed
  eko__no__miko*

The dinner is excellent.
Cameriere, la cena è ottima.
Kamary__e__re, la __tshe__na e __o__tima

Would you like anything else?
Posso portarLe qualcos'altro?
__Po__sso por__tar__le kualko__sal__tro

Two grappas and the bill, please.
Due grappe ed il conto, per favore.
__Du__e __gra__ppe ed il __ko__nto, per fa__vo__re

I'm sorry, but we don't accept credit cards.
Mi dispiace ma non accettiamo carte di credito.
Mi dis__pya__tshe ma non atshe__tya__mo __kar__te di __kre__dito

GOING OUT

Important words

words

aperitif	l'aperitivo (m)
	laperitivo
bar	la birreria/
	il bar
	birreria/
	bar
bar-restaurant	il locale
	lokale
beer	la birra
	birra
bill	il conto
	konto
bottle	la bottiglia
	botilya
café	la pasticceria
	pastitsheria
chair	la sedia
	sedya
coffee	il caffè
	kafe
to dance	ballare
	balare
dancing bar	il locale da ballo
	lokale da ballo
to drink	bere
	bere
drinks	le bevande
	bevande

> The locals meet in bars and cafés for a morning coffee, an espresso or an aperitif. If you do not wish to eat in a restaurant you can also get a snack here.
>
> Prices for food and drinks in bars or pasticceria vary according to whether you take your snack or drink at the bar or at a table inside or outside the premises. If you do not want to burden your holiday budget unnecessarily, you would be well advised to join the locals at the bar.

Smokers in Italy are not yet - as in the US or France - banned in public. You may smoke in bars and pubs; non-smokers often look in vain for a smoke-free zone. However, after a good meal in a restaurant you should not automatically reach for a cigarette - especially if there are still people eating at the table next to you. Anyone wanting to be sure of an absolutely smoke-free zone must spend his days in public offices.

It is not easy to buy tobacco products in Italy. There are no cigarette machines, and supermarkets do not sell them either. Smokers have to look for specially marked shops (**tabaccaio** *tabakajo*). These tobacconist's also have other goods for sale that holidaymakers need, e.g., stamps (**francobolli** *frankobolli*) and telephone cards (**scheda telefonica** *skeda telefonika*).

Note: Before the telephone card can be used, a corner has to be broken off.

	evening dress	l'abito (m) da sera
		labito da sera
	glass	il bicchiere
		bikyere
	housewine	il vino della casa
		vino della kasa
coffee	list of beverages	la carta delle bevande
		karta delle bevande
black	menu	il menù
un caffè/espresso		*menu*
kafe/espresso	mineral water	l'acqua minerale (f)
		lakua minerale
with milk	to order	ordinare
un caffè e latte		*ordinare*
kafe e latte	to pay	pagare
		pagare
espresso	pub	l'osteria (f)/
un espresso		la birreria
espresso		*losteria/*
		birreria
	restaurant	la trattoria/
		il ristorante
		tratoria/
		ristorante

sandwich bar	la paninoteca	
	paninoteka	
tea	il tè	
	te	
tea room	la sala da tè	
	sala da te	
water	l'acqua (f)	
	lakua	
wine	il vino	
	vino	

Important phrases

Is this seat taken?
È ancora libero questo posto?
E ankora libero kuesto posto

We'd like something to eat.
Vorremmo mangiare qualcosa.
Voremmo mandshare kualkosa

I'll take a draught.
Prendo una birra alla spina.
Prendo una birra alla spina

How much is a glass of champagne?
Quanto costa un bicchiere di spumante?
Kuanto kosta un bikyere di spumante

Do you mind when I smoke?
Le do fastidio se fumo?
Le do fastidyo se fumo

Waiter, the bill, please!
Cameriere, il conto, per favore!
Kameriere, il konto, per favore

---

beer

draught beer
una birra alla spina
una birra alla spina

lager
una birra chiara
una birra kyara

stout
una birra scura
una birra skura

non-alcoholic beer
una birra analcolica
una birra analkolika

In the bar

Can we get something to eat here?
Possiamo avere qualcosa da mangiare qui?
Possyamo avere kualkosa da mandshare kui

Yes, but only light meals – here's the menu.
Sì, ma soltanto degli spuntini, ecco il menù.
Si, ma soltanto deli spuntini, ekko il menu

Two tramezzini, please.
Due tramezzini, per favore.
Due tramedsini, per favore

And what would you like to drink?
E cosa volete bere?
E kosa volete bere

A draught and an orange juice, please.
**Una birra alla spina ed un succo d'arancia,
  per favore.**
*Una birra alla spina ed un suko darantsha, per
  favore*

The tramezzini will be ready in ten minutes.
I tramezzini sono pronti fra dieci minuti.
I tramedsini sono pronti fra dyetshi minuti

Is there a good discotheque around here?
Conosce un buon locale notturno?
Konoshe un buon lokale noturno

There's a good place just around the corner.
Sì, il locale è dietro l'angolo.
Si, il lokale e dietro langolo

Thank you. We'll go there immediately.
Tante grazie, andiamo subito.
Tante gratsie, andiamo subito

WINE TASTING

Important words

words

champagne	lo spumante	
	spumante	
dry	secco	
	sekko	
house wine	il vino della casa	
	vino della kasa	
medium	semisecco	
	semisekko	
red wine	il vino rosso	
	vino rosso	
rosé	il vino rosato	
	vino rosato	
sparkling wine	il prosecco/il frizzante	
	prosekko/fridsante	
sweet	dolce	
	doltshe	
table wine	il vino da tavola	
	vino da tavola	
white wine	il vino bianco	
	vino byanko	
wine	il vino	
	vino	
wine tasting	la degustazione del vino	
	degustatsyone del vino	

References on the labels of Italian wine bottles		
classico	*klassiko*	centre of the wine growing area
DOC (a denominazione di origine controllata)	*Dok (a denominatsyone di oridshine kontrolata)*	controlled origin
DOCG (a denominazione di origine controllata e garantita)	*Dokdshi (a denominatsyone di oridshine kontrolata e garantita)*	controlled and garanteed origin
riserva	*riserva*	longer maturation
superiore	*superyore*	higher alcohol content

85

Important phrases

I'd like to taste your wine.
Vorrei fare una degustazione del vino.
Vorey fare una degustatsyone del vino

I'm interested especially in red wines.
Mi interesso particolarmente dei vini rossi.
Mi interesso partikolarmente dey vini rossi

This wine tastes excellent.
Questo vino è molto buono.
Kuesto vino e molto buono

Do you also sell wine to Britain?
Vende anche dei vini in Gran Bretagna?
Vende anke dei vini in Gran Bretanya

Do you also have ecological wine?
Ha anche dei vini ecologici?
A anke dei vini ekolodshitshi

What's your favourite wine?
Qual è il suo vino preferito?
Kuale il suo vino preferito

 Italy, like few other wine growing countries, has a great variety of
wines to offer: from the dry fruity wines of the Alpine region in the
north through the heavy, full-bodied red wines from Tuscany, for example, to the sweeter wines from southern Italy. According to experts,
Italian white wines, which are generally lacking in fruitiness, live in the
shadow of the red wines that are amongst the most valued in the
world. In recent years, prices for top Italian wines have risen considerably. One of the reasons for this is the increasing interest from the Far
East, where more and more business people are prepared to pay almost
any price for an excellent bottle of red wine. People who are not quite
so wealthy but who would still like to buy good quality wine are not
advised to stock their cellars from (expensive) shops, but instead look
out for engaging wines in the vineyards: often the products from smaller vineyards have developed into absolute winners. You are advised to
look out for committed wine-growers away from the tourist areas or
ask locals in smaller villages about the local specialities.

Italy's most important wine growing regions and their most important grapes		i
Apulia	red: Montepulciano, Negroamaro	
	white: Bombino Bianco	
Friaul	red: Cabernet Franc, Merlot, Pignolo, Refosco	
	white: Chardonnay, Sauvignon Blanc, Verduzzo	
Lombard	red: Nebbiolo	
	white: Arneis, Cortese	
Piemont	red: Barbero, Dolcetto, Nebbiolo	
	white: Arneis, Cortese, Moscato	
Sardinia	red: Carignano, Cannonau	
	white: Nuragus, Torbato, Vermentino	
Sicily	red: Nerello Mascalese, Nero d'Avola	
	white: Catarratto, Inzolia	
Tuscany	red: Cabernet Sauvignon, Sangiovese	
	white: Malvasia, Trebbiano, Vernaccia	
Trentino/South Tyrol	red: Lagrein, Schiava, Teroldego	
	white: Muskateller, Traminer	
Umbria	red: Cabernet Sauvignon	
	white: Chardonnay, Grechetto, Trebbiano	
Veneto	red: Corvina, Molinara, Rondinella	
	white: Chardonnay, Garganega	

Can I send someone to pick up the wine later?
Posso far venire a prendere il vino più tardi?
Posso far venire a prendere il vino pyu tardi

Was the wine matured in barrels?
Il vino è stato imbottato?
Il vino e stato imbotato

How long can I mature the wine?
Quanto tempo può rimanere imbottigliato?
Kuanto tempo puo rimanere imbotilyato

I'll take twelve bottles.
Vorrei comprare dodici bottiglie.
Vorey komprare doditshi botilye

How much is it?
Quanto costa?
Kuanto kosta

dialogue

Some boxes of white wine

I'm looking for an excellent white wine.
Cerco un vino bianco pregiato.
Tsherko un vino byanko predshato

I've got something for you. Would you like to taste the champagne, too?
Se vuole Le posso offrire qualcosa. Vuole provare anche dello spumante?
Se vuole Le posso ofrire kualkosa. Vuole provare anke dello spumante

No, thanks. Otherwise I'll get drunk. Can I have a look at your vaults?
No grazie. Se no sono subito brillo. Posso dare un'occhiata alla sua enoteca?
No gratsie. Se no sono subito brillo. Posso dare unokyata alla sua enoteka

Certainly. Let's do a tour.
Certamente. Facciamo un giro.
Tshertamente. Fatshamo un dshiro

That was very interesting. Thanks a lot.
È stato veramente interessante. Tante grazie.
E stato veramente interessante. Tante gratsie

Do you want to buy anything?
Vuole comprare qualcosa?
Vuole komprare kualkosa

I'll take six boxes of this white wine here.
Prendo sei casse di questo vino bianco, per favore.
Prendo sei kasse di kuesto vino byanko, per favore

EMERGENCIES

Contents

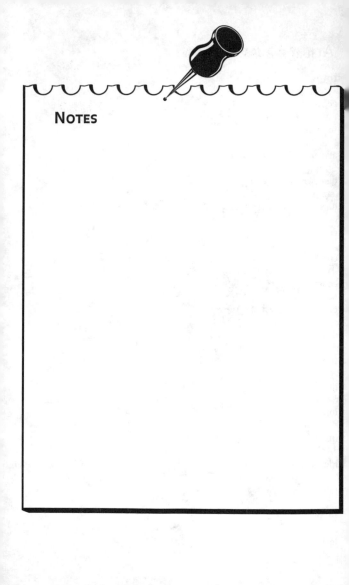

NOTES

AT THE POLICE STATION

Important words

words

accident	l'incidente (m)
	lintshidente
to arrest	arrestare
	arestare
attack	l'aggressione (f)
	lagressyone
blood alcohol standard	tasso alcolico
	tasso alcolico
burglary	lo scasso
	skasso
certificate	la conferma
	konferma
consulate	il consolato
	konsolato
court	il tribunale
	tribunale
crime	il crimine
	krimine
drug	la droga/lo stupefacente
	droga/stupefatshente
fight	la zuffa
	tsuffa
guilt	la colpa
	kolpa
innocent	innocente
	innotshente
insurance	l'assicurazione (f)
	lassikuratsyone
identity card	la carta d'identità
	karta didentita
judge	il giudice
	dshuditshe
to lose	perdere
	perdere
lost-property office	l'ufficio (m) oggetti smarriti
	lufitsho odshetti smarriti

weapons

club	il manganello
	manganello
knife	il coltello
	koltello
pistol	la pistola
	pistola

to molest	importunare
	importunare
passport	il passaporto
	passaporto
pickpocket	lo scippatore
	shipatore
police	la polizia
	politsia
policeman	il poliziotto
	politsyotto
police station	la questura
	kuestura
prison	la prigione
	pridshone
rape	lo stupro
	stupro
report	la denuncia
	denuntsha
solicitor	l'avvocato (m)
	lavokato
stolen	rubato
	rubato

Articles most commonly stolen from tourists

camera	la macchina fotografica	*makina fotografika*
car	la macchina	*makina*
car radio	l'autoradio (f)	*lautoradio*
cheque card	la carta assegni	*karta assenyi*
cheques	gli assegni	*assenyi*
credit card	la carta di credito	*karta di kredito*
driving licence	la patente di guida	*patente di guida*
handbag	la borsa	*borsa*
identity card	la carta d'identità	*karta didentita*
jewellery	i gioielli	*dshoyelli*
key	la chiave	*kyave*
luggage	il bagaglio	*bagalyo*
passport	il passaporto	*passaporto*
purse	il portamonete	*portamonete*
suitcase	la valigia	*validsha*
wallet	il portafoglio	*portafolyo*
watch	l'orologio (m) da polso	*lorolodsho da polso*

theft	il furto
	furto
thief	il ladro
	ladro
ticket	l'avviso (m) di
	contravvenzione
	laviso di kontraventsyone
victim	la vittima
	vitima
weapon	l'arma (f)
	larma
witness	il testimone
	testimone

Important phrases

Where's the nearest police station?
Dov'è la prossima questura?
Dove la prossima kuestura

We'd like to report a theft.
Vorremmo denunciare un furto.
Voremmo denuntshare un furto

Our luggage has been stolen.
Ci hanno rubato il nostro bagaglio.
Tshi anno rubato il nostro bagalyo

I've lost my identity card.
Ho perso la mia carta d'identità.
O perso la mia karta didentita

My husband has been missing for two days.
Mio marito è scomparso da due giorni.
Mio marito e skomparso da due dshorni

Our room has been broken into.
Hanno fatto irruzione nella nostra camera.
Anno fatto irruzyone nella nostra kamera

Could you give me something in writing for insurance purposes?

Ho bisogno di un certificato per la mia assicurazione.

O bisonyo di un tshertificato per la mia assikuratsyone

I'd like to phone a solicitor.

Vorrei telefonare al mio avvocato.

Vorey telefonare al mio avokato

What's the address of the English Consulate?

Qual'è l'indirizzo del consolato inglese?

Kuale lindiritso del konsolato inglese

I'd like to report an accident.

Vorrei denunciare un incidente.

Vorey denuntshare un intshidente

Here's the name and telephone number of a witness.

Ecco il nome ed il numero telefonico di un testimone.

Ekko il nome ed il numero telefoniko di un testimone

dialogue

The theft

Our car has been broken into and damaged.

La nostra macchina è stata forzata e danneggiata.

La nostra makina e stata fortsata e dannedshata

Was anything stolen?

Hanno rubato qualche cosa?

Anno rubato kualke kosa

Do not despair if your situation involving the police is more serious than the more common cases described in this book. Police stations in popular tourist resorts in Italy are generally well-prepared for language difficulties and equipped with dictionaries.

The radio. The ignition doesn't work properly.
L'autoradio. L'accensione è guasta.
Lautoradio. Latshensyone e guasta

Where did it happen?
Dove è successo?
Dove e sutshesso

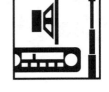

In the car park near the opera house.
Al parcheggio dell'opera.
Al parkedsho dellopera

Were there any witnesses?
Ci sono dei testimoni per il furto?
Tshi sono dei testimoni per il furto

I don't know.
Non lo so.
Non lo so

Here is a form for your insurance company.
Le do un modulo per l'assicurazione.
Le do un modulo per lassikuratsyone

Thank you.
Grazie.
Gratsie

Important words

accident	l'incidente (m)
	lintshidente
accident report	il verbale dell'incidente
	verbale dellintshidente
ambulance	l'ambulanza (f)
	lambulantsa
breakdown	il guasto
	guasto
breakdown service	il servizio rimorchio
	servitsyo rimorkyo
broken	guasto/rotto
	guasto/rotto
burst	scoppiato
	skopyato
car	la macchina
	makina
damaged	danneggiato
	dannedshato
doctor	il medico
	mediko
to drive	andare
	andare
driving licence	la patente di guida
	patente di guida
fire brigade	i pompieri
	pompyeri
first-aid kit	la cassetta di pronto soccorso
	kassetta di pronto sokorso
garage	l'officina (f)
	loffitshina
...-garage	l'officina concessionaria
	loffitshina kontshessyonaria
green card	la carta verde
	karta verde

hospital	**l'ospedale (m)**
	lospedale
injured	**ferito/ferita**
	ferito/ferita
insurance	**l'assicurazione (f)**
	lassikuratsyone
petrol	**la benzina**
	bendsina
police	**la polizia**
	politsia
repair	**la riparazione**
	riparatsyone
right of way	**la precedenza**
	pretshedentsa
seatbelt	**la cintura di sicurezza**
	tshintura di sikuretsa
spare part	**il pezzo di ricambio**
	petso di rikambyo
spare tyre	**la ruota di scorta**
	ruota di skorta
tools	**l'attrezzatura (f)**
	latretsatura
to tow away	**rimorchiare**
	rimorkyare
towrope	**il cavo da rimorchio**
	kavo da rimorkyo
vehicle registra- tion document	**il libretto di circolazione** *libretto di tshirkolatsyone*
warning triangle	**il triangolo di segnalazione** *triangolo di senyalatsyone*
witness	**il testimone**
	testimone

If in an accident there is only slight damage to the vehicles involved, the
police are not generally called for in Italy. However, do insist that all
those involved prepare an exact description of events at the scene of the
accident. In order to avoid problems with your insurance company, you
should obtain a green insurance card from your agent before you begin
your travels to Italy.

Important phrases

Where's the nearest garage?
Dov'è la prossima officina?
Dove la prossima offitshina

The steering and the ignition don't work.
Lo sterzo e l'accensione non funzionano più.
Lo stertso e latshensyone non funtsyonano pyu

Please fill out the accident report.
Riempia questo verbale dell'incidente, per favore.
Riempya kuesto verbale dellintshidente, per favore

Can you give me your insurance number?
Mi può dare il numero dell'assicurazione, per favore?
Mi puo dare il numero dellassikuratsyone, per favore

My wife is injured.
Mia moglie è ferita.
Mia molye e ferita

Please call an ambulance.
Chiami un'ambulanza, per favore.
Kyami unambulantsa, per favore

I've got a flat tyre.
Ho una foratura.
O una foratura

Can you give me a lift to the petrol station?
Mi potrebbe portare al prossimo distributore di benzina, per favore?
Mi potrebe portare al prossimo distributore di bendsina, per favore

The crash

dialogue

Didn't you see me?
Non mi ha visto?
Non mi a visto

What do you mean – me? You weren't
  looking where you were going!
Perchè? Lei non ha fatto attenzione!
Perke? Ley non a fatto atentsyone

I had right of way, not you!
Io avevo la precedenza, lei no!
Io avevo la pretshedentsa, ley no

I think it would be better if we called
  the police.
È meglio chiamare la polizia.
E melyo kyamare la politsia

And a doctor, my husband is bleeding.
**Anche un medico, per favore. Mio
  marito sanguina.**
*Anke un mediko, per favore. Mio marito
  sanguina*

Badly?
È grave?
E grave

No, it's only a small cut.
No, soltanto una piccola ferita.
No, soltanto una pikola ferita

Damn! May car will have to be repaired.
**Cavolo! Penso proprio che la mia
  macchina debba andare in officina.**
*Kavolo! Penso proprio ke la mia makina
  deba andare in offitshina*

words

AT THE DOCTOR'S

Important words

accident	l'incidente (m)
	lintshi<u>den</u>te
antibiotic	l'antibiotico (m)
	lanti<u>byo</u>tiko
blood	il sangue
	<u>san</u>gue
bowel movement	la defecazione
	defeka<u>tsyo</u>ne
breathing	la respirazione
	respira<u>tsyo</u>ne
chemist's	la farmacia
	farma<u>tshia</u>
dizziness	le vertigini
	ver<u>ti</u>dshini
doctor	il medico
	<u>me</u>diko
drops	le gocce
	<u>got</u>she
emergency doctor	il medico d'emergenza
	<u>me</u>diko demer<u>dshent</u>sa
examination	l'esame (m)
	e<u>sa</u>me
fainted	svenuto
	sve<u>nu</u>to
fracture	la frattura
	fra<u>tu</u>ra
high blood pressure	la pressione alta
	pres<u>syo</u>ne <u>al</u>ta
hospital	l'ospedale (m)
	lospe<u>da</u>le
illness	la malattia
	mala<u>tia</u>
to inject	iniettare
	inye<u>ta</u>re
injection	la puntura
	pun<u>tu</u>ra

<aside>
It hurts …
Ho dei dolori …
O <u>dei</u> do<u>lo</u>ri …

I'm sick.
Sono malato/malata.
<u>sono</u> ma<u>la</u>to/ma<u>la</u>ta

I've hurt myself.
Mi sono ferito/ferita.
Mi <u>sono</u> fe<u>ri</u>to/fe<u>ri</u>ta
</aside>

low blood pressure	**la pressione bassa**	*pressyone bassa*
medical insurance	**la cassa mutua**	*kassa mutua*
medical insurance card	**il certificato medico**	*tshertifikato mediko*
medicine	**la medicina/il farmaco**	*meditshina/farmako*
nausea	**la nausea**	*nausea*
ointment	**la pomata**	*pomata*
pain	**i dolori**	*dolori*

The most important illnesses and complaints

allergy	**l'allergia (f)**	*lallerdshia*
appendicitis	**l'appendicite (f)**	*lapendituhite*
asthma	**l'asma (f)**	*lasma*
burn	**l'ustione (f)**	*lustyone*
cancer	**il cancro**	*kankro*
circulatory disorder	**i disturbi circolatori**	*disturbi tshirkolatori*
cold	**il raffreddore**	*raffredore*
concussion	**la commozione cerebrale**	*komotsyone tsherebrale*
constipation	**la costipazione**	*kostipatsyone*
cough	**la tosse**	*tosse*
diabetes	**il diabete**	*dyabete*
diarrhoea	**la diarrea**	*dyarea*
fever	**la febbre**	*febbre*
flu	**l'influenza (f)**	*linfluentsa*
heart attack	**l'attacco cardiaco (m)**	*latako kardiako*
inflammation	**l'infiammazione (f)**	*linfyamatsyone*
migraine	**l'emicrania (f)**	*lemikrania*
nausea	**la nausea**	*nausea*
pneumonia	**la polmonite**	*polmonite*
poisoning	**l'avvelenamento (m)**	*lavelenamento*
rheumatism	**i reumatismi**	*reumatismi*
sunburn	**la scottatura (da sole)**	*skottatura (da sole)*
sunstroke	**l'insolazione (f)**	*linsolatsyone*
stomach ulcer	**l'ulcera gastrica (f)**	*lultshera gastrika*
travel sickness	**il mal d'auto**	*mal dauto*

Depending on your complaint, the doctor may require some information on your medical history. It is highly recommended that you take a record of all inoculations and vaccinations of all family members on holiday with you.

Another important thing to remember is to obtain an international health insurance certificate which you can obtain free of charge from the Post Office. It simplifies treatment formalities abroad, however, it is not accepted by all Italian doctors. If the doctor insists on you paying privately you will obtain a refund when you present the bill to your insurance company.

If you want to feel more secure it is recommended that you take out private travel insurance. This guarantees repayment of all expenses and in the case of an emergency, transport home for the patient.

pregnancy	**la gravidanza**
	gravidantsa
prescription	**la ricetta (medica)**
	ritshetta (medika)
pulse	**il polso**
	polso
shock	**lo shock**
	shok
sprain	**la slogatura**
	slogatura
surgery	**l'ambulatorio (m)**
	lambulatorio
tablet	**la compressa**
	kompressa
urine	**l'urina (f)**
	lurina
vaccination	**la vaccinazione**
	vatshinatsyone
to vomit	**vomitare**
	vomitare
waiting room	**la sala d'aspetto**
	sala daspetto
wound	**la ferita**
	ferita
X-ray	**la radiografia**
	radiografia

to dress
fasciare
faschare

to X-ray
fare una radiografia
fare una radiografia

to prescribe
prescrivere
preskrivere

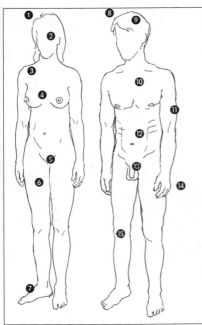

1. la donna
2. il viso
3. la spalla
4. il seno
5. la vagina
6. la gamba
7. il piede
8. l'uomo (m)
9. i capelli
10. il petto
11. il braccio
12. la pancia
13. il pene
14. la mano
15. il ginocchio

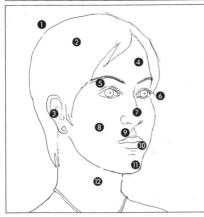

1. la testa
2. i capelli
3. l'orecchio (m)
4. la fronte
5. il sopracciglio
6. l'occhio (m)
7. il naso
8. la guancia
9. la bocca
10. le labbra
11. il mento
12. il collo

phrases

Important phrases

Can you recommend a GP?
Mi può consigliare un medico generico?
Mi può konsilyare un mediko dsheneriko

Please call a doctor!
Chiami subito un medico!
Kyami subito un mediko

My wife is seriously wounded.
Mia moglie è gravemente ferita.
Mia molye e gravemente ferita

I need some medicine for flu.
Ho bisogno di un farmaco contro l'influenza.
O bisonyo di un farmako kontro linfluentsa

I've got a sore throat.
Ho mal di gola.
O mal di gola

I've got a cold.
Mi sono raffreddato/raffreddata.
Mi sono raffredato/raffredata

Doctors' titles in the event of you having to see a specialist as a result of an illness

alternative practitioner	l'omeopata (m)	lomeopata
dentist	il dentista	dentista
ear, nose and throat doctor	l'otorinolaringoiatra (m)	lotorinolaringoyatra
dermatologist	il dermatologo	dermatologo
eye specialist	l'oculista (m)	lokulista
GP	il medico generico	mediko dsheneriko
gynaecologist	il ginecologo	dshinekologo
internist	l'internista (m)	linternista
neurologist	il neurologo	neurologo
paediatrician	il pediatra	pedyatra
psychologist	lo psicologo	psikologo
surgeon	il chirurgo	kirurgo
urologist	l'urologo (m)	lurologo

104

I had my last vaccination about five years ago.
**L'ultima vaccinazione è stata fatta cinque
anni fa.**
*L'ultima vatshinatsyone e stata fatta tshinkue
anni fa*

Could you please give me a prescription for
the pain?
**Mi può prescrivere qualcosa contro i dolori,
per favore?**
*Mi puo preskrivere kualkosa kontro i dolori, per
favore*

Important words for treatment in hospital		
anaesthetic	l'anestesia (f)	lanestesia
emergency ward	l'ingresso (m) di emergenza	lingresso di emerdshentsa
hospital stay	il soggiorno in ospedale	sodshorno in ospedale
nurse	l'infermeria (f)	infermeria
operation	l'operazione (f)	loperatsyone
private room	la camera singola	kamera singola
reception	l'ospedalizzazione (f)	lospedalidsatsyone
refund of costs	il rimborso spese	rimborso spese
repatriation	il ritorno in ambulanza	ritorno in ambulantsa
rest in bed	l'alitamento (m)	lalitamento
senior consultant	il primario	primario
visiting hour	l'orario (m) delle visite	loraryo delle visite

Do I have to come back here?
Devo ritornare?
Devo ritornare

I need a receipt for my medical insurance.
**Ho bisogno di una fattura per
l'assicurazione.**
O bisonyo di una fatura per lassikuratsyone

What's the diagnosis?
Qual è la Sua diagnosi?
Kuale la sua dianyosi

How long do I have to stay in hospital?
Per quanto tempo devo rimanere ancora in ospedale?
Per kuanto tempo devo rimanere ankora in ospedale

I want to speak to the senior consultant.
Vorrei parlare con il primario.
Vorey parlare kon il primario

When will we be able to continue our journey?
Quando possiamo continuare il nostro viaggio?
Kuando possyamo kontinuare il nostro vyadsho

A twisted foot

I've twisted my left foot.
Ho una slogatura al piede sinistro.
O una slogatura al pyede sinistro

Does it hurt here?
Le fa male qui?
Le fa male kui

A little lower. Yes, there.
Un po' più giù. Sì, proprio lì.
Un po pyu dshu. si, proprio li

I'll just take an X-ray.
Devo fare una radiografia.
Devo fare una radiografia

Could I have a painkiller?
Mi può dare qualcosa contro i dolori, per favore?
Mi puo dare kualkosa kontro i dolori, per favore

I'll give you an injection.
Le faccio una puntura.
Le fatsho una puntura

What does the X-ray show?
Cosa si può vedere sulla radiografia?
Kosa si può vedere sulla radiografia

Your foot isn't broken.
Il suo piede non è rotto.
Il suo pyede non e rotto

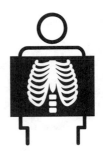

Does that mean that I don't need a
    plaster?
**Quindi non c'è bisogno di ingessare la
    gamba?**
*Kuindi non tshe bisonyo di indshessare la
    gamba*

No. I'll prescribe some cream for you.
No. Le prescrivo della crema.
No. Le preskrivo della krema

Can I put any weight on the foot?
Posso far pressione sul piede?
Posso far pressyone sul pyede

You should take it easy with that leg
    for the next three days.
**La gamba deve riposare per circa tre
    giorni.**
*La gamba deve riposare per tshirka tre
    dshorni*

Would you write me a bill, please?
Mi scrive una fattura, per favore?
Mi skrive una fatura, per favore

Please tell the receptionist.
Avvisi la mia assistente, per favore.
Avisi la mia assistente, per favore

107

AT THE DENTIST'S

words

Important words

anaesthetic	**l'anestesia (locale) (f)**
	lanestesia (lokale)
to bore	**trapanare**
	trapanare
bridge	**il ponte**
	ponte
caries	**la carie**
	karie
crown	**la corona**
	korona
dental clinic	**la clinica odontoiatrica**
	klinika odontoyatrika
dentist	**il dentista**
	dentista
dentures	**la protesi del dente**
	protesi del dente
examination	**l'esame (m)**
	lesame
to extract	**togliere/tirare**
	tolyere/tirare
filling	**l'otturazione (f)**
	loturatsyone
gums	**la gengiva**
	dshendshiva
hole	**il buco**
	buko
inflammation	**l'infiammazione (f)**
	linfyamatsyone
injection	**la puntura**
	puntura
jaw	**la mascella**
	mashella
medical insurance	**la cassa mutua**
	kassa mutua
medicine	**la medicina/il farmaco**
	meditshina/farmako

filling
l'otturazione (f)
loturatsyone
– amalgam
  di amalgama
  di amalgama
– gold
  d'oro
  doro
– synthethic
  di materiale sintetico
  di materiale sintetiko
– porcelain
  di porcellana
  di portshelana

mouth	**la bocca**	eye-tooth
	boka	**il canino**
neck of a tooth	**il collo del dente**	*kanino*
	kollo del dente	
nerve	**il nervo**	molar
	nervo	**il molare**
pain	**i dolori**	*molare*
	dolori	
to rinse	**sciacquare**	milk-tooth
	shakugre	**il dente da latte**
root	**la radice**	*dente da latte*
	raditshe	
surgery	**l'ambulatorio (m)**	incisor
	lambulatorio	**il dente incisivo**
tablet	**la compressa**	*dente intshisivo*
	kompressa	
tartar	**il tartaro**	wisdom tooth
	tartaro	**il dente del giudizio**
teeth	**la dentiera**	*dente del dshuditsyo*
	dentyera	
tooth	**il dente**	
	dente	
tooth ache	**il mal di denti**	
	mal di denti	
tooth rack	**l'apparecchio (m) per i denti**	
	laparekyo per i denti	
treatment	**la cura**	
	kura	
waiting room	**la sala d'aspetto**	
	sala daspetto	
X-ray	**la radiografia**	
	radiografia	

Words for important dental hygiene articles

dental floss	**il filo interdentale**	*filo interdentale*
mouth-wash	**il collutorio**	*kolutorio*
toothbrush	**lo spazzolino da denti**	*spatsolino da denti*
toothgum	**la gomma da masticare per l'igiene orale**	*gomma da mastikare per lidshyene orale*
toothpaste	**il dentifricio**	*dentifritsho*
tooth-powder	**la polvere dentifricia**	*polvere dentifritsha*

Important phrases

I've got toothache.
Ho mal di denti.
O mal di <u>denti</u>

This tooth hurts.
Questo dente mi fa male.
Ku<u>e</u>sto <u>dente</u> mi fa <u>ma</u>le

I've lost a filling.
Ho perso una piombatura.
O <u>perso</u> <u>u</u>na pyomba<u>tu</u>ra

Could you give me an injection, please?
Mi faccia una puntura, per favore.
Mi <u>fa</u>tsha <u>u</u>na pun<u>tu</u>ra, per fa<u>vo</u>re

I don't want an amalgam filling.
Non vorrei un'otturazione di amalgama.
Non vo<u>rey</u> unotura<u>tsyo</u>ne di amal<u>ga</u>ma

Please don't take the tooth out.
Non mi tiri il dente, per favore.
Non mi <u>ti</u>ri il <u>dente</u>, per fa<u>vo</u>re

Could you prescribe me a painkiller, please?
Mi può prescrivere un analgesico, per favore?
Mi pu<u>o</u> pre<u>skri</u>vere un anal<u>dshe</u>siko, per fa<u>vo</u>re

When do I have to come back?
Quando devo ritornare?
Ku<u>a</u>ndo <u>de</u>vo ritor<u>na</u>re

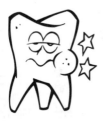

Please give me a receipt for my medical insurance.
Mi scriva una fattura per l'assicurazione, per favore.
Mi <u>skri</u>va <u>u</u>na fa<u>tu</u>ra per lassikura<u>tsyo</u>ne, per fa<u>vo</u>re

A toothache

My top left eye-tooth hurts.
Ho dei dolori al canino superiore di sinistra.
O dei dolori al kanino superiore di sinistra

Part of the tooth has broken off.
Il dente le si è spezzato.
Il dente le si e spetsato

Will it have to be pulled?
Deve estrarlo?
Deve estrarlo

No, you'll need a bridge.
No. Ha bisogno di un ponte.
No. A bisonyo di un ponte

My molar hurts, too.
Anche il molare mi fa male.
Anke il molare mi fa male

There's a hole in it. I'll fill it.
Ha un buco. Le faccio una piombatura.
A un buko. Le fatsho una pyombatura

Can I please have an anaesthetic?
Mi faccia una puntura, per favore.
Mi fatsha una puntura, per favore

You mustn't eat for two hours.
Non può mangiare per due ore.
Non puo mandshare per due ore

Thank you, doctor. Goodbye.
Grazie mille, dottore. Arrivederci.
Gratsie mille, dottore. Arivedertshi

IN THE CHEMIST'S

words

Important words

chemist	**il farmacista**
	farmatshista
chemist's	**la farmacia**
	farmatshia
condoms	**i profilattici/i preservativi**
	profilatitshi/preservativi
gauze bandage	**la garza**
	gartsa
injection	**la siringa/la puntura**
	siringa/puntura
medicine	**la medicina/ il farmaco**
	meditshina/farmako
night duty	**il servizio notturno**
	servitsyo notturno
notice	**la notizia**
	notitsya

Useful words for buying medicines in the chemist's

antibiotics	l'antibiotico (m)	*lantibyotiko*
antiseptic ointment	la pomata per le ferite	*pomata per le ferite*
cardiac stimulant	il farmaco contro i disturbi circolatori	*farmako kontro i disturbi tshirkolatori*
charcoal tablets	le compresse al carbone vegetale	*kompresse al karbone vedshetale*
contraceptive pills	la pillola anticoncezionale	*pillola antikontshetsyonale*
cough mixture	lo sciroppo per la tosse	*shiroppo per la tosse*
insulin	l'insulina (f)	*linsulina*
laxative	il lassativo	*lassativo*
mosquito ointment	la pomata contro le punture di zanzare	*pomata kontro le punture di tsantsare*
painkiller	l'analgesico (m)	*lanaldshesiko*
sedative	il calmante	*kalmante*
sunburn ointment	la pomata contro le scottature	*pomata kontro le skottature*

plaster	il cerotto
	tsherotto
prescription	la ricetta
	ritshetta
thermometer	il termometro
	termometro

Important phrases

Have you got a medicine for fever?
Ha un antipiretico?
A un antipiretiko

I need a medicine for sunburn.
**Ho bisogno di un farmaco contro una
scottatura solare.**
*O bisonyo di un farmako kontro una skotatura
solare*

How much is the ointment for mosquito
bites?
**Quanto costa la pomata contro le punture di
zanzare?**
*Kuanto kosta la pomata kontro le punture di
tsantsare*

When should I take the tablets for my throat
ache?
**Quando devo prendere le compresse contro
il mal di gola?**
*Kuando devo prendere le kompresse kontro il
mal di gola*

Do you also have homoeopathic drops?
Ha anche delle gocce omeopatiche?
A anke delle gotshe omeopatike

I need a receipt, please.
Ho bisogno di una ricevuta, per favore.
O bisonyo di una ritshevuta, per favore

powder	
la cipria	
tshipra	
ointment	
la pomata	
pomata	
tablets	
le compresse	
kompresse	
drops	
le gocce	
gotshe	

> **Important words for a better understanding of the patient package insert accompanying medicines**
> ► to be taken as directed **secondo l'indicazione del medico** *sekondo lindikatsyone del mediko*
> ► before/after meals **prima dei/dopo i pasti** *prima dei/dopo i pasti*
> ► different times a day **più volte al giorno** *pyu volte al dshorno*
> ► dissolve on the tongue **far sciogliere in bocca** *far sholyere in boka*
> ► unchewed **senza masticare** *sentsa mastikare*
> ► side effects **gli effetti collaterali (m)** *li effetti kollaterali*

dialogue

Medicine

I need something for diarrhoea.
Ho bisogno di qualcosa contro la diarrea.
O bisonyo di kualkosa kontro la diarea

Are you also suffering from pain and fever?
Ha anche dei dolori e febbre?
A anke dei dolori e febbre

No, but I've lost my appetite.
No, però non ho appetito.
No, pero non o apetito

I'll give you some charcoal tablets.
Le do alcune pasticche al carbone.
Le do alkune pastike al karbone

How often should I take them?
Quante volte devo prenderle?
Kuante volte devo prenderle

One tablet three times a day after meals.
Tre volte al giorno, una dopo ogni pasto.
Tre volte al dshorno, una dopo onyi pasto

Thank you. Goodbye.
Grazie mille. Arrivederci.
Gratsie mille. Arivedertshi

114

AT THE OPTICIAN'S

Important words

words

acuity	la capacità visiva
	kapatshita visiva
binocular	il binocolo
	binokolo
broken	rotto
	rotto
cleaning fluid	il detergente
	deterdshente
cornea	la cornea
	kornea
contact lense	le lenti a contatto
	lenti a kontatto
dioptre	le diottrie
	dyotrie
eye	l'occhio (m)
	lokyo
eyes	gli occhi
	oki
glasses	gli occhiali
	okyali
glasses case	l'astuccio (m) degli occhiali
	lastutsho delyi okyali
glasses frame	la montatura degli occhiali
	montatura delyi okyali
insurance	l'assicurazione (f)
	lassikuratsyone
invoice	la fattura
	fatura
lens	la lente degli occhiali
	lente deli okyali
far-sighted	presbite
	presbite
to lose	perdere
	perdere

contact lens	
right	
a destra	
a destra	
left	
a sinistra	
a sinistra	
hard	
dure	
dure	
soft	
morbide	
morbide	

optician's	**l'ottico (m)**
	lottiko
receipt	**la ricevuta**
	ritshevuta
to repair	**aggiustare**
	adshustare
rinsing solution	**la soluzione per la conservazione**
	solutsyone per la konservatsyone
short-sighted	**miope**
	miope
sight	**la facoltà visiva**
	fakolta visiva
to squint	**essere strabico**
	essere strabiko
sunglasses	**gli occhiali da sole**
	okyali da sole

Important phrases

Where's the nearest optician's?
Dov'è l'ottico più vicino?
Dove lottiko pyu vitshino

My glasses are broken, they have to be repaired immediately.
I miei occhiali sono rotti; devono essere aggiustati in breve tempo.
I myei okyali sono rotti; devono essere adshustati in breve tempo

I've got no other glasses with me.
Non ho con me altri occhiali.
Non o kon me altri okyali

I can't see anything without glasses.
Non posso vedere senza occhiali.
Non posso vedere sentsa okyali

I've lost a lens.
Ho perso una lente degli occhiali.
O perso una lente delyi okyali

I'd like to buy sunglasses.
Vorrei comprare degli occhiali da sole.
Vorey komprare delyi okyali da sole

I need sunglasses with cut lenses.
Ho bisogno di occhiali da sole con lenti forbite (sfaccettate).
O bisonyo di okyali da sole kon lenti forbite (sfatshetate)

Do you also have binoculars?
Ha anche dei binocoli?
A anke dei binokoli

The lost contact lens

dialogue

Hello. Can I help you?
Buongiorno. Posso aiutarLa?
Buondshiorno. Posso ayutarla

I hope so. I've lost a contact lens.
Lo spero. Ho perso una lente a contatto.
Lo spero. O perso una lente a kontatto

Are you short- or far-sighted?
È miope o presbite?
E miope o presbite

Short-sighted. The lens for my left eye is missing.
Miope. Manca la lente per l'occhio sinistro.
Miope. Manka la lente per lokyo sinistro

117

Would you like a hard contact lens?
Vuole una lente a contatto dura?
Vuole una lente a kontatto dura

No, a soft one please.
Una morbida, per favore.
Una morbida, per favore

I'll just test your eyesight.
Mi faccia controllare la capacità visiva.
Mi fatsha kontrolare la kapatshita visiva

I've got minus 3,5 diopters.
Ho meno 3,5 diottrie.
O meno tre e medso diotrie

Correct. The lens will be ready tomorrow.
Giusto. La lente è pronta domani.
Dshusto. La lente e pronta domani

Thank you. Goodbye.
Grazie mille. Arrivederci.
Gratsie mille. Arivedertshi

In the Garage

Important words

accident	l'incidente (m)
	lintshidente
breakdown	il guasto
	guasto
breakdown service	il servizio rimorchio
	servitsyo rimorkyo
broken	guasto/rotto
	guasto/rotto
burnt out	fuso
	fuso
burst	scoppiato
	skopyato
car	la macchina
	makina
damaged	danneggiato
	dannedshato
dirty	sporco
	sporko
garage	l'officina (f)
	loffitshina
...-garage	l'officina concessionaria
	loffitshina kontshessyonaria
green card	la carta verde
	karta verde
insurance	l'assicurazione (f)
	lassikuratsyone
invoice	la fattura
	fatura
mechanic	il meccanico
	mekaniko
motorbike	la motocicletta
	mototshikletta
overheated	surriscaldato
	suriskaldato
petrol	la benzina
	bendsina

1 l'antenna (f)
2 il tergicristallo
3 il cofano
4 il faro
5 il paraurti
6 la ruota
7 il parabrezza
8 lo specchietto laterale
9 lo sportello
10 la serratura
11 il tetto
12 il cambio delle marce
13 il volante
14 il sedile anteriore
15 il sedile posteriore
16 il lunotto
17 il bagagliaio
18 la tanica
19 il faro posteriore
20 la targa
21 il tubo di scarico
22 la gomma

120

Terms for tools, parts of the car and spare parts

air conditioning	l'impianto di condizionamento	*limpyanto konditsyonamento*
air filter	il filtro dell'aria	*filtro dellaria*
axle	l'asse (m)	*lasse*
battery	la batteria	*batteria*
brake fluid	l'olio (m) dei freni	*lolyo dei freni*
brake lining	la guarnizione dei freni	*guarnitsyone dei freni*
brakes	il freno	*freno*
carburettor	il carburatore	*karburatore*
catalytic converter	la marmitta catalitica	*marmita katalitika*
clutch	la frizione	*fritsyone*
cooling water	l'acqua del radiatore (f)	*lakua del radiatore*
cylinder	il cilindro	*tshilindro*
fan belt	la cinghia (trapezoidale)	*tshingya (trapetsoidale)*
gear box	il cambio	*kambyo*
generator	il dinamo	*dinamo*
hammer	il martello	*martello*
hand brake	il freno a mano	*freno a mano*
heating	il riscaldamento	*riskaldamento*
horn	il clacson	*klaxon*
ignition	l'accensione (f)	*latshensyone*
ignition cable	il cavo d'accensione	*kavo datshensyone*
motor	il motore	*motore*
oil filter	il filtro dell'olio	*filtro delolyo*
pliers	le tenaglie	*tenalye*
radiator	il radiatore	*radyatore*
screw driver	il cacciavite	*katshavite*
seal	la guarnizione	*guarnitsyone*
shock absorber	l'ammortizzatore (m)	*lamortidsatore*
spanner	la chiave inglese/ per viti	*kyave inglese/ per viti*
spark plug	la candela	*kandela*
starter	il motorino d'avviamento	*motorino davyamento*
tank	il serbatoio	*serbatoyo*
wheel rim	il cerchione	*tsherkyone*

repair	**la riparazione**	*riparatsyone*
rusty	**arrugginito**	*arudshinito*
spare part	**il pezzo di ricambio**	*petso di rikambyo*
spare tyre	**la ruota di scorta**	*ruota di skorta*

tools	**l'attrezzatura (f)**
	latretsatura
to tow away	**rimorchiare**
	rimorkyare
towrope	**il cavo da rimorchio**
	kavo da rimorkyo
used	**usato**
	usato
vehicle	**il libretto di**
registration	**circolazione**
document	*libretto di tshirkolatsyone*

Important phrases

Where's the nearest garage?
Dov'è l'officina più vicina?
Dove loffitshina pyu vitshina

The battery doesn't work, it needs charging.
La batteria è guasta; bisogna caricarla.
La batteria e guasta; bisonya karikarla

The motor has lost oil.
Il motore ha perso dell'olio.
Il motore a perso delolyo

The spark plugs have to be changed.
**Si devono cambiare le candele
dell'accensione.**
Si devono kambyare le kandele dellatshensyone

Can you fill in some brake fluid, please?
**Potrebbe aggiungere un po' d'olio per i freni,
per favore?**
*Potrebe adshunshere un po' dolyo per i freni, per
favore*

Give me the bill, please.
Mi scriva la fattura, per favore.
Mi skriva la fatura, per favore

The breakdown

Can you repair my car?
Può aggiustare la macchina?
Puo adshustare la makina

It looks pretty bad.
Beh, è grave.
Be, e grave

I know, I had an accident.
Sì, ho avuto un incidente.
Si, o avuto un intshidente

I'm afraid it will take a few days.
Presumo che duri alcuni giorni.
Presumo ke duri alkuni dshorni

We had wanted to continue our journey tomorrow.
Domani volevamo continuare il viaggio.
Domani volevamo kontinuare il vyadsho

Not in this car.
Con questa macchina non è possibile.
Kon kuesta makina non e possibile

I'll hire a car.
Prenderò una macchina a noleggio.
Prendero una makina a noledsho

You can pick up your car within four days.
Venga a ritirare la macchina fra quattro giorni.
Venga a ritirare la makina fra kuatro dshorni

123

NOTES

Accommodation

Contents

IN A HOTEL

words

Important words

air-conditioning	**l'aria condizionata (f)**
	larya konditsyonata
bathroom	**il bagno**
	banyo
big	**grande**
	grande
calm	**tranquilla**
	trankuilla
cheap	**economica**
	ekonomika
cool	**fresca**
	freska
dark	**scura**
	skura
double room	**la camera doppia**
	kamera dopya

In Italy holidaymakers generally have a choice of the following types of hotel:

albergo/ pensione	These are hotels and guest-houses in different price categories (one to five stars). There are no great differences in quality or price between the two.
camere private	Private rooms are rather cheaper than hotels and guest-houses and more interesting for those wanting to stay for a longer period of time. You can obtain a list with prices and addresses from the local tourist information office.
motel	If you do not find a room in town you may be lucky in the motels on arterial roads or near the motorways. Prices are similar to those in hotels.
residenza	These hotel complexes offer apartments, although they are very expensive and therefore more interesting for business people.

In rural areas there is also the possibility of spending some time in the Italian version of a farm holiday (**agriturismo**). Details can be obtained from the local tourist information office.

126

expensive	cara	
	kara	
facing the front	che dà sulla strada	
	ke da sulla strada	
facing the rear	che dà sul cortile	
	ke da sul kortile	
heating	il riscaldamento	
	riskaldamento	
light	luminosa	
	luminosa	
radio	la radio	
	radyo	
shadowy	ombreggiata	
	ombredshata	
shower	la doccia	
	dotsha	
single room	la camera singola	
	kamera singola	
small	piccola	
	pikola	
sunny	soleggiata	
	soledshata	
telephone	il telefono	
	telefono	
television	la televisione	
	televisyone	

I'd like to have a …
Vorrei un/una …
Vorey un/una

Do you still have a room with …?
Ha ancora una camera con …?
A ankora una kamera kon

 July and especially August are traditionally the months when the Italian take their holidays. Hotel rooms and holiday flats are generally sold out in the most popular tourist regions, and on top of this prices rise dramatically.
If you want to go skiing please remember, that Christmas time and January and February are high seasons.

toilet	il gabinetto/la toilette	
	gabinetto/twalet	
ventilator	il ventilatore	
	ventilatore	
warm water	l'acqua calda (f)	
	lakua kalda	
washbasin	il lavandino	
	lavandino	

127

window	la finestra
	finestra
with a sea view	con vista sul mare
	kon vista sul mare

Important phrases

I'd like to have a room for two nights.
Vorrei una camera per due notti.
Vorey una kamera per due notti

I've reserved a room.
Ho prenotato una camera.
O prenotato una kamera

How much is the room?
Quanto costa una camera?
Kuanto kosta una kamera

Do you have a cheaper room?
Ha una camera meno costosa?
A una kamera meno kostosa

Is breakfast included?
La prima colazione è inclusa nel prezzo?
La prima kolatsyone e inklusa nel pretso

In Italian hotels breakfast (**la prima colazione**) is usually included in the room price. However, if you are expecting a sumptuous breakfast you will usually be disappointed: generally coffee, milk, croissants or bread, brioches, butter and jam are offered. Many tourists do without breakfast in the hotel and drink their coffee in a nearby bar. There you can obtain, for instance, sandwiches (**il tramezzino, il panino con ...**) - which are also a hearty alternative to the (sweet) monotonous breakfast on offer in the hotels.

The most important terms

sandwich **il panino con ...** (*panino kon*) • bread **il pane** (*pane*) • butter **il burro** (*burro*) • honey **il miele** (*myele*) • coffee **il caffè** (*kafe*) • jam **la marmellata** (*marmelata*) • milk **il latte** (*latte*) • sugar **lo zucchero** (*tsukero*)

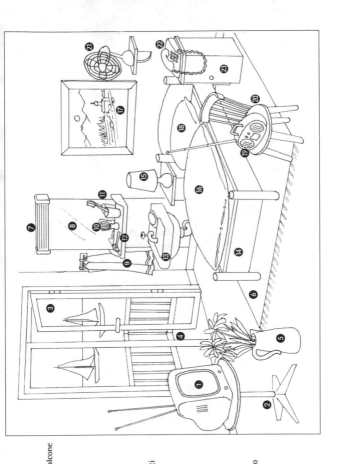

1. la televisione
2. la tavola
3. la portafinestra del balcone
4. il balcone
5. il vaso di fiori
6. il tappeto
7. il lume
8. lo specchio
9. l'asciugamano (m)
10. il pennello da barba
11. lo spazzolino da denti
12. il rasoio
13. il lavabo
14. il letto
15. la lampada del comodino
16. la coperta
17. il quadro
18. il guanciale/il cuscino
19. la radio
20. la sedia
21. il ventilatore
22. il telefono
23. il comodino

129

If you ask for anything in your accommodation the question should begin with: **Dov'è** *(Dove* = Wo ist).

Where is	Dov'è	*Dove*
my room	**la mia camera**	*la mia kamera*
the conference room	**la sala delle conferenze**	*sala delle konferentse*
the kitchen	**la cucina**	*kutshina*
the lift	**l'ascensore (m)**	*lashensore*
the pool	**la piscina**	*pishina*
the reception	**la recezione**	*retshetsyone*
the restaurant	**il ristorante**	*ristorante*
the shower	**la doccia**	*dotsha*
the telephone	**il telefono**	*telefono*
the toilet	**il gabinetto**	*gabinetto*

Can I see the room?
Posso vedere la camera?
Posso vedere la kamera

I'm afraid, it's (not) what I wanted.
La camera (non) mi piace.
La kamera (non) mi pyatshe

It's very nice, I'll take it.
La camera è bella, la prendo.
La kamera e bella, la prendo

stay

soggiorno
soddshorno

What time's breakfast?
A che ora c'è la prima colazione?
A ke ora tshe la prima kolatsyone

When will the rooms be cleaned?
Quando vengono fatte le camere?
Kuando vengono fatte le kamere

Is the hotel open all night?
È aperto tutta la notte l'albergo?
E aperto tutta la notte lalbergo

I'd like to deposit this in the safe.
Vorrei depositare questo nella cassaforte.
Vorey depositare kuesto nella kassaforte

We are leaving tomorrow.
Partiamo domani.
Partyamo domani

When do we have to vacate the room?
A che ora dobbiamo lasciare la camera?
A ke ora dobyamo lashare la kamera

The bill, please.
Il conto, per favore.
Il konto, per favore

Please call a taxi.
Mi chiama un tassì, per favore?
Mi kyama un tassi, per favore

More useful words for your hotel stay		
alarm clock	la sveglia	*svelya*
balcony	il balcone	*balkone*
chair	la sedia	*sedya*
chambermaid	la cameriera	*kameryera*
coathanger	la gruccia	*grutsha*
cupboard	l'armadio (m)	*larmadio*
drinking-water	l'acqua potabile (f)	*lakua potabile*
floor	il piano	*pyano*
free	libero	*libero*
full board	la pensione completa	*pensyone kompleta*
half board	la mezza pensione	*medsa pensyone*
heating	il riscaldamento	*riskaldamento*
key	la chiave	*kyave*
to leave	partire	*partire*
light	la luce	*lutshe*
light switch	l'interruttore (m)	*linterrutore*
luggage	il bagaglio	*bagalyo*
mirror	lo specchio	*spekyo*
no vacancies	completo	*kompleto*
refrigerator	il frigorifero	*frigorifero*
reservation	la prenotazione	*prenotatsyone*
room-number	il numero di camera	*numero di kamera*
service	il servizio	*servitsio*
to sleep	dormire	*dormire*
view	la vista	*vista*
volt	il voltaggio	*voltadsho*
to wake up	svegliare	*svelyare*

There aren't any towels.
Mancano degli asciugamani.
Mankano deli ashugamani

There's no water.
Non scorre l'acqua.
Non skorre lakua

The heating doesn't work.
Il riscaldamento non funziona.
Il riskaldamento non funtsyona

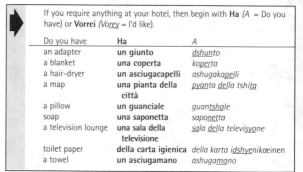

If you require anything at your hotel, then begin with **Ha** (*A* = Do you have) or **Vorrei** (*Vorey* = I'd like).

Do you have	Ha	A
an adapter	un giunto	*dshunto*
a blanket	una coperta	*koperta*
a hair-dryer	un asciugacapelli	*ashugakapelli*
a map	una pianta della città	*pyanta della tshita*
a pillow	un guanciale	*guantshale*
soap	una saponetta	*saponetta*
a television lounge	una sala della televisione	*sala della televisyone*
toilet paper	della carta igienica	*della karta idshyenikaeinen*
a towel	un asciugamano	*ashugamano*

The window doesn't shut.
La finestra non chiude bene.
La finestra non kyude bene

The washbasin is blocked.
Il lavandino è otturato.
Il lavandino e oturato

The light is broken.
La lampadina è rotta.
La lampadina e rotta

The tap drips.
Il rubinetto gocciola.
Il rubinetto gotshola

132

Looking for a room

dialogue

Hello.
Buongiorno.
Buondshorno

Can I help you?
Desidera?
Desidera

I would like a room at the back of the hotel.
Vorrei una camera che si affaccia sull'interno.
Vorey una kamera ke si afatsha sullinterno

We have a room with shower on the third floor.
Abbiamo ancora una camera con doccia al terzo piano.
Abyamo ankora una kamera kon dotsha al tertso pyano

How much does it cost?
Quanto costa?
Kuanto kosta

160 000 lira per night for two.
160 000 lire a coppia per una notte.
Tshentosesantamila lire a koppia per una notte

Fine, I'll take it.
Bene, la prendo.
Bene, la prendo

Here is your room-key.
Ecco la chiave della camera.
Ekko la kyave della kamera

IN A HOLIDAY FLAT

Important words

additional costs	**le spese di mantenimento** *spese di mantenimento*
bungalow	**il bungalow** *bungalo*
day of arrival	**il giorno d'arrivo** *dshorno darivo*
electricity	**la corrente** *korente*
flat	**l'appartamento (m)** *lapartamento*
holiday camp	**il centro vacanze** *tshentro vakantse*
holiday flat	**l'appartamento (m) per le vacanze** *lapartamento per le vakantse*

Especially families with children choose not to stay in a hotel but instead rent a flat or house. It should not be too difficult to find suitable accommodation in Italy. This is equally true for the main season although prices are considerably higher than before and after the peak season.

In the last few years a good opportunity of finding cheap and nice holiday accommodation has proved to be in health food magazines and magazines from alternative automobile clubs. Houses on offer here are usually far removed from the large tourist areas.

holiday home	**la casa per le vacanze** *kasa per le vakantse*
kitchenette	**il cucinino** *kutshinino*
landlord	**il proprietario** *proprietario*
main season	**l'alta stagione (f)** *lalta stadshone*
pet	**l'animale domestico (m)** *lanimale domestiko*

rent	l'affitto (m)
	lafitto
rubbish	la spazzatura
	spatsatura

Important phrases

phrases

Where can we pick up the keys?
Dove ritiriamo le chiavi?
Dove ritiryamo le kyavi

Is electricity included in the price?
La corrente è già compresa nell'affitto?
La korente e dsha kompresa nel afitto

Do we have to clean the flat before we leave?
Spetta a noi fare la pulizia finale?
Spetta a noi fare la pulitsia finale

Are pets allowed?
Si possono portare animali?
Si possono portare animali

Is there a food-store nearby?
C'è un negozio di alimentari qui vicino?
Tshe un negotsyo di alimentari kui vitshino

Useful words for a stay in a holiday home		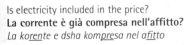
coffee machine	la macchina del caffè	*makina del kafe*
cooker	la cucina	*kutshina*
bedroom	la camera da letto	*kamera da letto*
dish-washer	la lavastoviglie	*lavastovilye*
fire-place	il camino	*kamino*
fire-wood	la legna (per il camino)	*lenya (per il kamino)*
garden furniture	i mobili da giardino	*mobili da dschardino*
refrigerator	il frigorifero	*frigorifero*
studio couch	il divano letto	*divano letto*
tub	la vasca da bagno	*vaska da banyo*
washing machine	la lavatrice	*lavatritshe*

1 l'ombrellone (m)
2 il bicchiere
3 il gelato
4 il cucchiaio
5 la sedia da giardino
6 la tavola
7 il pigliamosche
8 i giornali
9 l'amaca (f)
10 la griglia
11 il cestino
12 la piscina per bambini
13 la sedia a sdraio
14 il tubo dell'acqua

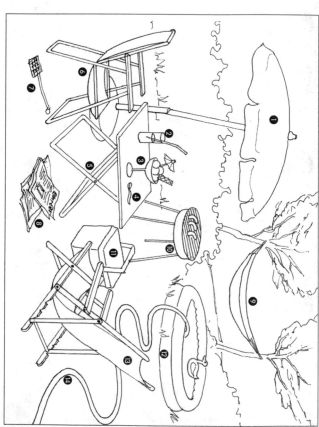

136

In the holiday flat

Now that I have shown you everything do you still have any questions?
Adesso Le ho fatto vedere tutto. Ha ancora delle domande?
Adesso le o fatto vedere tutto. A ankora delle domande

When are the rubbish bins emptied?
Quando viene svuotata la spazzatura?
Kuando vyene svuotata la spatsatura

Every Tuesday. Please put the bin out on the street on Monday evening.
Ogni martedì. La sera prima la prego di mettere il bidone sulla strada.
Onyi martedì. La sera prima la prego di mettere il bidone sulla strada

Can we use the fireplace?
Possiamo usare il camino?
Possyamo usare il kamino

Of course. You'll find firewood in the shed.
Certamente. Il legno si trova nel capannone.
Tshertamente. Il lenyo si trova nel kapanone

If there are any problems I'm sure we can get in touch with you.
Se ci saranno dei problemi, possiamo rivolgerci a Lei?
Se tshi saranno dei problemi, possyamo rivoldshersi a lei

Certainly.
Naturalmente.
Naturalmente

137

In a Youth Hostel

words

Important words

bedlinen	la biancheria (da letto)
	byankeria (da letto)
check-in	la registrazione/l'iscrizione
	redshistratsyone/liskritsyone
dormitory	il dormitorio
	dormitorio
family room	la camera per la famiglia
	kamera per la familya
hostel wardens	i gestori dell'ostello della gioventù
	dshestori dellostello della dshioventu
to iron	stirare
	stirare
membership card	la tessera di membro
	tessera di membro
recreation room	la sala per le attività in comune
	sala per le ativita in komune
sleeping bag	il sacco a pelo
	sako a pelo
washroom	i bagni
	banyi
youth hostel	l'ostello (m) della gioventù
	lostello della dshoventu
youth hostel card	la tessera per gli ostelli della gioventù
	tessera per lyi ostelli della dshoventu

In youth hostels you will require an international youth hostel pass which can be issued in the hostel itself. Apart from youth hostels, there are many other types of accommodation for backpackers in Italy; a favourite are the mountain cabins found along marked hiking paths. However, in summer tourists should know which cabin they wish to stay in so that it can be reserved in advance.

Important phrases

Do you have any vacancies?
Ci sono ancora dei posti liberi?
Tshi sono ankora dei posti liberi

How much is it a night?
Quanto costa il pernottamento?
Kuanto kosta il pernottamento

What time are meals served?
A che ora si mangia?
A ke ora si mandsha

Are there any lockers?
Ci sono delle cassette di sicurezza qui?
Tshi sono delle kassette si sikuretsa kui

Can I share a room with my husband?
Posso avere una camera con mio marito?
Posso avere una kamera kon mio marito

What time do you lock up at night?
Fino a che ora è aperto la sera?
Fino a ke ora e aperto la sera

What's the best way to get to the town centre?
Come arrivo in centro nel modo più veloce?
Kome arivo in tshentro nel modo pyu velotshe

Can I hire a sheet?
Posso prendere in prestito la biancheria (da letto)?
Posso prendere in prestito la byankeria (da letto)

When is breakfast time?
Quando c'è la prima colazione?
Kuando tshe la prima kolatsyone

Do you have a map?
Ha una pianta della città?
A una pyanta della tshita

139

Time for breakfast

What's for breakfast?
Cosa c'è a colazione?
Kosa tshe a kolatsyone

You can choose something from the buffet.
Si può scegliere al buffet.
si puo shelyere al bufe

Is there also a typical Italian breakfast served,
 especially brioches?
**C'è anche la tipica colazione italiana e in
 particolare delle brioche?**
*Tshe anke la tipika kolatsyone italyana e in
 partikolare delle brioshe*

Of course, it's included in the price. You just have
 to take the breakfast vouchers that they gave
 you at the reception when you arrived.
**Certo, ed è anche compresa nel prezzo. Deve
 soltanto portare i buoni per la colazione
 che ha ricevuto all'arrivo dalla recezione.**
*Tsherto, ed e anke kompresa nel pretso. Deve
 soltanto portare i buoni per la kolatsyone ke a
 ritshevuto allarivo dalla retshetsyone*

Thanks for the information.
Grazie mille per l'informazione.
Gratsie mille per linformatsyone

ON A CAMPSITE

Important words

words

campsite	**il campeggio** *kampedsho*
caravan	**la roulotte** *rulott*
car park	**il parcheggio** *parkedsho*
charge	**la tariffa** *tarifa*
children's playground	**il parco giochi** *parko dshoki*
drinking-water	**l'acqua potabile (f)** *lakua potabile*
electricity	**la corrente** *korente*
entrance	**l'entrata (f)** *lentrata*
guarded	**custodito** *kustodito*
mains connection	**la presa della corrente** *presa della korente*
reception	**la recezione** *retshetsyone*
registration	**la registrazione** *redshistratsyone*

If you wish to spend a camping holiday in Italy and have not yet recei- ved a tip from friends where to find a nice place, then you should have the Italian tourist authorities send you an official camping site directory. The camping sites are listed in different categories. This enables tourists - according to their budget - to choose the campsite that best suits them. If you want a camping site by the sea in summer then you would be advised to book well in advance.
Also if you would prefer to explore the country's interior you will have to reserve your site in advance: in the hinterland - for example in Tuscany - there are not too many camping sites.
Do not attempt to avoid paying for a camping site and camping in an unauthorised site as this is not permitted in Italy.

Useful words for your campsite stay		
camping card	la tessera del campeggio	*tessera del kampedsho*
camping stove	il fornello	*fornello*
foam mattress	la stuoia isolante	*stuoya isolante*
to hire	prestare	*prestare*
hire charge	la tariffa di noleggio	*tariffa di noledsho*
matches	i fiammiferi	*fyamiferi*
rope	la corda	*korda*
sink	il lavandino per i piatti	*lavandino per i pyatti*
sleeping bag	il sacco a pelo	*sako a pelo*
tent peg	il picchetto	*piketto*
torch	la torcia	*tortsha*
water canister	la tanica per l'acqua	*tanika per lakua*

sanitary facilities	il servizio igienico	*servitsyo idshyeniko*
shade	l'ombra (f)	*lombra*
site	il posto	*posto*
tent	la tenda	*tenda*
washroom	i bagni	*banyi*

Important phrases

Where can we put up our tent?
Dove possiamo piantare la tenda?
Dove possamo pyantare la tenda

How much does it cost per day and person?
Quanto costa al giorno e a persona?
Kuanto kosta al dshorno e a persona

We'll be staying for six days.
Rimaniamo sei giorni.
Rimaniamo sei dshorni

Have you got room for another caravan?
Ha ancora un posto libero per una roulotte?
A ankora un posto libero per una rulott

We'd like to have a place in the shade.
Vorremmo un posto all'ombra.
Voremmo un posto allombra

Do you also rent out caravans?
Affitta anche delle roulotte?
Afitta anke delle rulotte

Is there a food-store?
C'è un negozio di alimentari qui?
Tshe un negotsio di alimentari kui

Where are the washrooms?
Dove sono i lavandini?
Dove sono i lavandini

Do the hot showers cost extra?
Bisogna pagare extra per le docce calde?
Bisonya pagare extra per le dotshe kalde

Are there electric points here?
C'e una presa di corrente qui?
Tshe una presa di korente kui

Where can I empty the chemical toilet?
Dove posso svuotare il WC chimico?
Dove posso svuotare il vu tshi kimiko

Where do I get bottled gas/gas canisters?
Dove posso comprare le bombole del gas?
Dove posso komprare le bombole del gas

Can you lend me a hammer, please?
Mi potrebbe prestare un martello?
Mi potrebbe prestare un martello

No gas

Our gas has run out. Could you tell us
  where we could get some more?
**È finita la bombola del gas. Ci potrebbe dire
  dove trovarne un'altra?**
*E finita la bombola del gas. Tshi potrebe dire
  dove trovarne unaltra*

The shop next to the reception sells gas.
  But I think it is already closed.
**Il negozio affianco alla recezione vende le
  bombole a gas. Ma presumo che sia già chiuso.**
*Il negotsio afyanko alla retshetsyone vende le
  bombole a gas. Ma presumo ke sia dsha kyuso*

Is there anywhere else?
C'è un'altra possibilità?
Tshe unaltra possibilita

Unfortunately the shops in the village are
  also closed.
Purtroppo i negozi nel paese sono già chiusi.
Purtroppo i negotsi nel paese sono dsha kyusi

What a nuisance.
Cavolo!
Kavolo

I'm afraid I can't give you any gas either
  but we could cook together.
**Purtroppo neanch'io posso darLe una
  bombola a gas, ma potremmo cucinare
  insieme.**
*Purtroppo neankio posso darle una bombola
  a gas, ma potremmo kutshinare insyeme*

We'll gladly take you up on that offer.
Questo invito l'accettiamo volentieri.
Kuesto invito latshetyamo volentyeri

TRAVEL

Contents

NOTES

By Car

Important words

words

accident	l'incidente (m)
	lintshidente
alcohol level	tasso alcolico
	tasso alcolico
brake	il freno
	freno
breakdown	il guasto
	guasto
breakdown service	il soccorso stradale
	sokorso stradale
car park	il parcheggio
	parkedsho
car rental	il noleggio delle macchine
	noledsho delle makine
car wash	l'autolavaggio (m)
	lautolavadsho
country road (A road)	la strada provinciale
	strada provintshale

A toll has to be paid on motorways. You take a ticket from the toll booth either before or after joining the motorway and hand it back at the next booth or at the end of your journey after leaving the motorway. You can pay by cash or credit card.

- coins **la moneta** *moneta*
- credit card **la carta di credito** *karta di kredito*
- toll **il casello autostradale** *kasello autostradale*

driving licence	la patente
	patente
emergency telephone	il telefono d'emergenza
	telefono demerdshentsa
to fasten seatbelts	allacciare la cintura
	alatshare la tshintura
flat tyre	la foratura
	foratura

		garage	l'officina (f)
			loffitshina
speed		green card	la carta verde
			karta verde
within towns	50 km/h	hazard warning	il lampeggiatore
country roads		light	d'emergenza (m)
	90 km/h		*lampedshatore*
motor highways			*demerdshentsa*
	110 km/h	headlight	il faro
motorways	130 km/h		*faro*
		insurance	l'assicurazione (f)
			lassikuratsyone
		hitch-hiking	fare l'autostop (m)
			fare lautostop
		jack	il cric
			krik
		lorry	il camion
			kamyon
		motor	il motore
			motore
		motor oil	l'olio (m) del motore
rent a car			*lolyo del motore*
		motorway	l'autostrada (f)
– for one day			*lautostrada*
per un giorno		oil change	il cambio dell'olio
per un dshorno			*kambyo delolyo*
		petrol	la benzina
			bendsina
– for one week		petrol station	il distributore di benzina
per una settimana			*distributore di bendsina*
per una setimana		police	la polizia
			politsia
– for one month		road	la strada
per un mese			*strada*
per un mese		road map	la carta
			automobilistica
			karta automobilistika
		road sign	il cartello stradale
			kartello stradale
		seatbelt	la cintura di sicurezza
			tshintura di sikuretsa

148

Services	la stazione di servizio
	statsyone di servitsyo
snow chains	le catene da neve
	katene da neve
ticket	l'avviso (m) di contravvenzione
	laviso di kontraventsyone

Italian traffic signs ◀

attenzione	*attentsyone*	attention
curva pericolosa	*kurva perikolosa*	dangerous bend
dare la precedenza	*dare la pretshedentsa*	give way
deviazione	*devyatsyone*	detour
discesa pericolosa	*dishesa perikolosa*	steep incline
divieto di sorpasso	*divyeto di sorpasso*	no overtaking
divieto di sosta	*divyeto di sosta*	so standing
lavori in corso	*lavori in korso*	road works
limite di velocità	*limite di velotshita*	speed limit
parcheggio	*parkedsho*	carpark
pericolo	*perikolo*	danger
rallentare	*ralentare*	drive slowly
senso unico	*senso uniko*	one way street
tenere la destra	*tenere la destra*	keep right
vicolo cieco	*vikolo tshyeko*	no through road
zona pedonale	*dsona pedonale*	pedestrian precinct

---

toll	il pedaggio
	pedadsho
tools	l'attrezzo automobilistico
	latretso automobilistiko
to tow away	rimorchiare
	rimorkyare
traffic jam	l'ingorgo (m)
	lingorgo
traffic-lights	il semaforo
	semaforo
tyre	la ruota
	ruota
unleaded	senza piombo
	sentsa pyombo
warning triangle	il triangolo di segnalazione
	triangolo di senyalatsyone

phrases

Important phrases

Where's the nearest petrol station?
Dov'è il prossimo distributore di benzina?
Dove il prossimo distributore di bendsina

Is this the road to Naples?
È la strada per Napoli?
E la strada per Napoli

How far is Florence?
Quanti chilometri ci sono ancora per Firenze?
Kuanti kilometri tshi sono ankora per Firentse

We're looking for a supervised car park in the centre.
Cerchiamo un parcheggio custodito al centro della città.
Tsherkyamo un parkedsho kustodito al tshentro della tshita

Turn right, please.
Svolti a destra, per favore.
Svolti a destra, per favore

regular **normale** *normale*	Where can we buy snow chains? **Dove possiamo comprare delle catene da neve?** *Dove possyamo komprare delle katene da neve*
premium **super** *super*	We've got a breakdown. **Abbiamo un guasto.** *Abyamo un guasto*
diesel **il gasolio** *gasolio*	We've got a flat tyre. **Abbiamo una foratura.** *Abyamo una foratura*
unleaded **senza piombo** *sentsa pyombo*	Do you have regular unleaded? **Ha benzina normale senza piombo?** *A bentsina normale sentsa pyombo*

Full, please.
Il pieno, per favore.
Il pyeno, per favore

Please check the tyre pressure and the oil.
**Può verificare la pressione delle gomme e il
livello dell'olio, per favore?**
*Puo verifikare la presyone delle gomme e il
livello delolyo, per favore*

Words to help you out at the petrol station (gasolinera)		
battery	**la batteria**	*batteria*
car wash	**l'autolavaggio**	*lautolavadshio*
to change	**cambiare**	*kambyare*
to check	**verificare**	*verifikare*
coolant	**l'acqua (f) del radiatore**	*lakua del radyatore*
defective	**difetto**	*difetto*
flashing light	**il lampeggiatore**	*lampedshatore*
full	**il pieno**	*il pyeno*
oil level	**il livello dell'olio**	*livello delolyo*
petrol	**la benzina**	*bendsina*
petrol can	**il bidone di benzina**	*bidone di bendsina*
radiator	**il radiatore**	*radyatore*
repair	**la riparazione**	*riparazyone*
spark plug	**la candela d'accensione**	*kandela datshensyone*
tyre pressure	**la pressione delle gomme**	*presyone delle gomme*
vacuum cleaner	**l'aspirapolvere (m)**	*laspirapolvere*
windscreen wiper	**il tergicristallo**	*terdshikristallo*

Can you give me a receipt, please?
Mi può rilasciare una ricevuta, per favore?
Mi può rilashare una ritshevuta, per favore

My car doesn't work.
La macchina è rotta.
La makina e rotta

We'd like to hire a car.
Vorremmo noleggiare un'automobile.
Voremmo noledshare un automobile

Useful words for car renting

child's safety seat	**il seggiolino per l'auto**	*sedsholino per lauto*
daily flat rate	**il rimborso del carburante**	*rimborso del karburante*
excess	**la quota a carico del cliente**	*kuota a kariko del klyente*
fully comprehensive insurance	**l'assicurazione (f) di copertura totale**	*lassikuratsyone di kopertura totale*
instruction	**le istruzioni (f) per l'uso**	*istrutsyoni per luso*
insurance	**l'assicurazione (f)**	*lassikuratsyone*
off-roader	**il fuoristrada**	*fuoristrada*
price	**il prezzo di noleggio**	*pretso di noledsho*
rate per kilometre	**il forfait di chilometro**	*forfe di kilometro*
to rent	**noleggiare**	*noledshare*
to return	**riconsegnare**	*riskonsenyare*
sum insured	**la somma assicurata**	*somma assikurata*

Take note: Please check if anyone besides the car hirer - i.e. you - is permitted to drive the car (e.g., wife or husband).

How much is it?
Quanto costa?
Kuanto kosta

Can I also hand back the car in Rome?
Possiamo riconsegnare la macchina anche a Roma?
Possyamo rikonsenyare la makina anke a Roma

Before setting out on your trip to Italy you should obtain a green insurance certificate (**carta verde**) from your insurance agent. In the event of an accident during your holiday you will save yourself a lot of time-consuming formalities; besides this, claiming damages later will be a lot easier. Another good tip for holidays abroad is to take out an extra travel insurance. This will also ensure that you are transported with a minimum of fuss in the event of an accident involving injury.

If you are travelling in rural areas you should make sure that you have a good map since the sign-posting is often inadequate.

Is it my wife also permitted to drive the car?
**È possibile che anche mia moglie guidi la
macchina?**
*E possibile ke anke mia molye guidi la
makina*

At the petrol station

dialogue

My car takes unleaded.
Ho bisogno di benzina senza piombo.
O bisonyo di bendsina sentsa pyombo

We have regular and super.
Abbiamo benzina normale e super.
Abyamo bendsina normale e super

Can my car use either?
**La macchina può camminare con
entrambi i tipi di benzina?**
*La makina puo kaminare kon entrambi
i tipi di bendsina*

Yes, but I would recommend super.
Sì. Le consiglio la super.
Si. Le konsilyo la super

Would you also check the oil level?
**Può controllare anche il livello
dell'olio, per favore?**
*Puo kontrolare anke il livello delolyo,
per favore*

The road into the town centre in Italy is marked by signs saying **centro**
(**città**); also the search for a parking space/car-park is made easier for
the often numerous tourists with various signs.

When you have reached the car-park do not leave any valuables or
bags in the car; not even secure car-parks can offer protection from
thieves. If there is absolutely no alternative bags should be placed in
the car boot.

153

Your oil needs topped up.
Bisogna aggiungere un po' d'olio.
Bisonya adshundshere un po dolyo

Would you do that for me, please?
Potrebbe farlo, per favore?
Potrebe farlo, per favore

Certainly. Half a litre will be sufficient.
Volentieri. Mezzo litro basta.
Volentyeri. Medso litro basta

The car has never lost oil before.
La macchina non ha mai avuto una perdita d'olio.
La makina non a mai avuto una perdita dolyo

You should have the oil-seal checked.
Dovrebbe far controllare le guarnizioni.
Dovrebe far kontrolare le guarnitsyoni

Can you do that here?
Può farlo direttamente qui?
Puo farlo diretamente kui

I'm afraid not. You'll have to take it to the garage.
Purtroppo no. Deve andare in officina.
Purtroppo no. Deve andare in offitshina

Can I still drive the car?
Ma adesso posso continuare a camminare?
Ma adesso posso kontinugre a kaminare

Yes, but you'll have to check the oil regularly.
Deve controllare solo spesso il livello d'olio.
Deve kontrolare solo spesso il livello dolyo

BY BUS AND TRAIN

Important words

words

arrival	l'arrivo (m)
	larivo
bus	l'autobus (m)
	lautobus
bus station	la stazione delle autocorriere
	statsyone delle autokoryere
compartment	lo scompartimento
	skompartimento
connection	la coincidenza
	kointshidentsa
couchette	la carrozza con cuccette
	karotsa kon kutshette
delay	il ritardo
	ritardo
departure	la partenza
	partentsa
direction	la direzione
	diretsyone
driver	il conducente
	kondutshente
left-luggage office	il deposito bagagli
	deposito bagalyi
motorail service	il treno navetta
	treno navetta

to get on
salire
salire

to get off
scendere
shendere

to change trains
cambiare
kambyare

In Italy there are different classes of train according to their speed:
As commuter trains, the national railway company FS (Ferrovie dello Stato) generally runs the **Espresso** or the **Diretto** (regional express) as well as the slower **Locale** (regional train). Near large cities there are suburban fast trains especially for commuters.

The **Rapidi** are the Italian version of the Intercity. For the still faster **Treno ad alta velocità** (Intercity Express) you should ensure that you have tickets in good time as these trains that travel between the large cities are generally quickly fully booked. Since the end of March 1997 there is also a special high speed train that travels between Naples, Rome and Milan - the **Pendolino** ETR-500 (with a top speed of 250 km/h)

non-smoking compartment	**lo scompartimento per non fumatori**	
	skompartimento per non fumatori	
platform	**la banchina / il binario**	
	bankina / binario	
railway	**la ferrovia**	
	ferrovia	
reduction	**la riduzione**	
	ridutsyone	
station	**la stazione**	
	statsyone	
stop	**la fermata**	
	fermata	
reservation	**la prenotazione**	
	prenotatsyone	
restaurant car	**il vagone ristorante**	
	vagone ristorante	
return ticket	**il biglietto di andata e ritorno**	
	bilyetto di andata e ritorno	
sleeper	**il vagone letto**	
	vagone letto	
supplement	**il supplemento**	
	suplemento	
terminus	**il capolinea**	
	kapolinea	
ticket	**il biglietto**	
	bilyetto	
timetable	**l'orario (m)**	
	lorario	

day-pass
il biglietto giornaliero
bilyetto dshornalyero

weekly pass
l'abbonamento settimanale
labonamento setimanale

monthly pass
la tessera mensile
tessera mensile

Tickets for overland buses can often be bought directly from the driver, at the bus station or in travel agencies. The buses leave from special stations (larger cities) or from specially designated stops (smaller towns and villages). There are also excursions and sightseeing tours available for tourists.

international bus route **l'autolinea internazionale** (f) *lautolinea internatsyonale* • overland bus **la corriera** *koryera* • round trip **il viaggio circolare** *vyadsho tshirkolare* • city tour **il giro turistico della città** *dshiro turistiko della tshita* • excursion **l'escursione** *leskursyone*

156

If you decide at short notice to make a longer journey by train when on holiday in Italy you should definitely reserve seats (reservation = **prenotazione**) as the trains are generally full in the summer holidays. It is worthwhile asking for a reduction (**riduzione**) or discount (**sconti**) before buying a ticket.
The Italian railway company FS has a whole series of cheap offers especially for under 26 year-olds.

train	**il treno**
	treno
underground station	**la stazione della metropolitana**
	statsyone della metropolitana

Important phrases

A second class ticket to Milano, please.
Un biglietto di seconda classe per Milano.
Un bilyetto di sekonda klasse per Milano

How much does the ticket cost?
Quanto costa il biglietto?
Kuanto kosta il bilyetto

We'd like two return tickets to Rome.
Vorremmo comprare due biglietti di andata e ritorno per Roma.
Voremmo komprare due bilyetti di andata e ritorno per Roma

Do you still have two non-smoking seats?
Ha ancora due posti per non fumatori?
A ankora due posti per non fumatori

When does the next bus to Napoli leave?
Quando parte il prossimo autobus per Napoli?
Kuando parte il prossimo autobus per Napoli

first class
la prima classe
prima klasse

second class
la seconda classe
sekonda klasse

Where do we have to change trains?
Dove dobbiamo fare scalo?
Dove dobyamo fare skalo

Where's the left-luggage office?
Dov'è il deposito bagagli?
Dove il deposito bagalyi

Which platform does the train to Rome
leave from?
Da quale binario parte il treno per Roma?
Da kuale binario parte il treno per Roma

Does the train stop in Florence?
Il treno si ferma a Firenze?
Il treno si ferma a Firentse

Does line four go to Milano?
Il numero quattro va a Milano?
Il numero kuatro va a Milano

Where's the restaurant car?
Dov'è il vagone ristorante?
Dove il vagone ristorante

Sorry, but this seat is taken.
Scusi, ma questo posto è occupato.
Skusi, ma kuesto posto e okupato

Can you shut the window, please?
Potrebbe chiudere il finestrino, per favore?
Potrebe kyudere il finestrino, per favore

We'd like to get off here.
Vorremmo scendere qui.
Vorremmo shendere kui

When do we arrive in Rome?
Quando arriviamo a Roma?
Kuando arivyamo a Roma

At the information desk

dialogue

Hello. What has happened to the Rome train?
Buongiorno. Dov'è il treno per Roma?
Buondshorno. Dove il treno per Roma

I'm afraid it has been delayed.
Purtroppo è in ritardo.
Purtroppo e in ritardo

How long will it be delayed?
Di quanto ritarda?
Di kuanto ritarda

About 30 minutes.
Di circa 30 minuti.
Di tshirka trenta minuti

Will I still be able to catch the connection to Torino?
Ce la faccio a prendere il treno di coincidenza per Torino?
Tshe la fatsho a prendere il treno di kointshidentsa per Torino

The train will wait at the main station.
Il treno attenderà alla stazione centrale.
Il treno atendera alla statsyone tshentrale

159

words

By plane

Important words

aircraft	l'aereo (m)
	laereo
arrival	l'arrivo (m)
	larivo
boarding pass	la carta d'imbarco
	karta dimbarko
to cancel	annullare
	anulare
to change	cambiare il biglietto
	kambyare il bilyetto
to check in	fare il check in
	fare il tshek in
customs	la dogana
	dogana
delay	il ritardo
	ritardo
departure	il decollo
	dekollo
desk	lo sportello
	sportello
flight attendant	l'hostess (f)
	lostes
gate	l'entrata (f) d'imbarco
	lentrata dimbarko
hand luggage	il bagaglio a mano
	bagalyo a mano
luggage	il bagaglio
	bagalyo
(non-)smokers	i (non) fumatori
	(non) fumatori
reservation	la prenotazione
	prenotatsyone
seat belt	la cintura di sicurezza
	tshintura di sikuretsa
stopover	lo scalo
	skalo

non-smoking seat
il posto non fumatori
posto non fumatori

smoking seat
il posto fumatori
posto fumatori

window seat
**il posto accanto al
  finestrino**
*posto akanto al
  finestrino*

Important phrases

We'd like to book a flight to ...
Vorremmo prenotare un volo per ...
Voremmo prenotare un volo per

When is the next plane to ...?
Quando parte il prossimo aereo per ...?
Kuando parte il prossimo aereo per

How much is the ticket?
Quanto costa il biglietto?
Kuanto kosta il bilyetto

When you are planning your holiday budget remember that there is an airport tax payable at Italian airports. If you decide to fly at short notice then ask if there are special tariffs or stand-by flights available. In the main season (July to September) these cheaper flights are usually hard to come by.

- airport tax **la tassa aeroportuale** (*tassa aeroportugle*)
- Economy class **la classe turistica** (*klasse turistika*)
- Business class **la business class** (*bisnis klahß*)
- special tariffs **le tariffe speciali** (*tariffe spetshali*)
- stand-by flights **i posti stand-by** (*posti ständbai*)

We'd like non-smoking seats.
Vorremmo i posti per non fumatori.
Voremmo i posti per non fumatori

We want to confirm our flight.
Vorremmo confermare il nostro volo.
Voremmo konfermare il nostro volo

This is my hand luggage.
Ecco il mio bagaglio a mano.
Ekko il mio bagalyo a mano

The flight is delayed.
Il volo è in ritardo.
Il volo e in ritardo

> If you have neglected to arm yourself with enough medicines to combat air-sickness you will usually be able to obtain some in the airport. In the plane you can ask the stewardess to give you something against nausea.
>
> ► I feel sick. **Mi sento male.** *Mi sento male/* **Non mi sento bene.** *Non mi sento bene*
>
> ► Do you have anything for airsickness? **Ha qualcosa contro il mal d'aria?** *A kualkosa kontro il mal daria*
>
> ► I've got a headache. **Ho mal di testa.** *O mal di testa*
>
> ► A glass of water, please. **Ho bisogno di un bicchiere d'acqua.** *O bisonyo di un bikyere dakua*

Where's the luggage reclaim?
Dov'è la consegna del bagaglio?
Dove la konsenya del bagalyo

Our luggage is missing.
Abbiamo perso i nostri bagagli.
Abyamo perso i nostri bagalyi

We're looking for the information desk.
Cerchiamo l'ufficio informazioni.
Tsherkyamo lufitsho informatsyoni

Where can I rent a car?
Dove si può noleggiare una macchina?
Dove si puo noledshare una makina

Where's the taxi stand?
Dove trovo un tassì?
Dove trovo un tassi

We'd like to change money.
Vorremmo cambiare dei soldi.
Voremmo kambyare dei soldi

Where's the British Airways desk?
Dov'è lo sportello della British Airways?
Dove lo sportello della British Airways

162

In the plane

Your seats are just here at the front.
I suoi posti sono qui davanti.
I suoi posti sono kui davanti

Do you have anything for nausea?
Ha anche qualche cosa contro il malessere?
A anke kualke kosa kontro il malessere

Why? Don't you feel well?
Perchè? Non si sente bene?
Perke? Non si sente bene

I'm afraid of flying.
Ma ho paura di volare.
Ma o paura di volare

Just tell me if you need any help.
Mi chiami per cortesia se ha bisogno d'aiuto.
Mi kyami per kortesia se a bisonyo dayuto

Could I perhaps have a grappa, please?
Potrei avere una grappa, per favore?
Potrey avere una grappa, per favore

I'll bring you one in a moment.
La porto subito.
La porto subito

How long does the flight take?
Quanto durerà il volo?
Kuanto durera il volo

We are due to land in around two hours.
Atterreremo fra circa due ore.
Atereremo fra tshirka due ore

163

By ship

Important words

cabin	**la cabina** *kabina*
captain	**il capitano** *kapitano*
car ferry	**la nave traghetto** *nave tragetto*
coast	**la costa** *kosta*
crossing	**la traversata** *traversata*
cruise	**la crociera** *krotshera*
deck	**la coperta** *koperta*
deck-chair	**la sedia a sdraio** *sedia a sdrayo*
dock	**l'approdo (m)** *laprodo*
ferry	**il traghetto** *tragetto*
Hovercraft	**l'hovercraft (m)** *loverkraft*
island	**l'isola (f)** *lisola*
lifeboat	**la scialuppa di salvataggio** *shalupa di salvatadsho*
life jacket	**il giubbotto di salvataggio** *dshubotto di salvatadsho*
Mediterranean	**il (Mare) Mediterraneo** *(Mare) Mediterraneo*
motorboat	**il motoscafo** *motoskafo*
port	**il porto** *porto*
river	**il fiume** *fyume*

rowing boat	la barca a remi	
	barka a remi	
sailing boat	la barca a vela	
	barka a vela	
sea	il mare	
	mare	
sea sickness	il mal di mare	
	mal di mare	
ship	la nave	
	nave	
shipping agency	l'agenzia navale (f)	
	ladshentsya navale	
single cabin	la cabina singola	
	kabina singola	
steamer	la nave a vapore	
	nave a vapore	
to swim	nuotare	
	nuotare	
ticket	il biglietto della nave	
	bilyetto della nave	

Important phrases

One ticket to Sardinia, please.
Un biglietto della nave per la Sardegna, per favore.
Un bilyetto della nave per la sardenya, per favore

We'd like to take our car with us.
Vorremmo imbarcare la nostra macchina.
Vorremmo imbarkare la nostra makina

How much is the crossing?
Quanto costa la traversata?
Kuanto kosta la traversata

Can you tell me when the next ship will
leave?
Mi può dire quando parte la prossima nave?
Mi puo dire kuando parte la prossima nave

When do we land at Sardinia?
Quando arriviamo in Sardegna?
Kuando arivvamo in sardenya

Do you have anything for sea sickness?
Ha un medicamento contro il mal di mare?
A un medikamento kontro il mal di mare

At the loading bay

Where is the car loading bay?
Dove si trova lo scarico delle macchine?
Dove si trova lo skariko delle makine

On the right, behind the ticket counter.
A destra dietro lo sportello della biglietteria.
A destra dyetro lo sportello della bilyetteria

Can we remain in our car while on board?
A bordo possiamo restare in macchina?
A bordo possyamo restare in makina

You have to leave your car.
Deve lasciare la macchina.
Deve lashare la makina

Is there a restaurant?
C'è un ristorante?
Tshe un ristorante

Yes, and also two sun-decks.
Sì, inoltre ci sono anche due posti al sole sul ponte.
Si, inoltre tshi sono anke due posti al sole sul ponte

No thanks, not in this rain ...
No grazie. Con questa pioggia ...
No gratsie. Kon kuesta pyodsha

ON TWO WHEELS

Important words

words

basket	**il cestino della bicicletta**
	tshestino della bitshikletta
bicycle	**la bicicletta**
	bitshikletta
garage	**l'officina (f)**
	loffitshina
helmet	**il casco**
	kasko
motorbike	**la motocicletta**
	mototshikletta
petrol	**la miscela**
	mishela
spare part	**il pezzo di ricambio**
	petso di rikambyo
tool	**l'utensile (m)**
	lutensile

Important phrases

expressions

Where's the nearest garage?
Dov'è la prossima officina?
Dove la prossima offitshina

Can you lend me a bicycle pump, please?
Mi potrebbe prestare una pompa pneumatica, per favore?
Mi potrebe prestare una pompa pneumatika, per favore

The rear light and the gear shift don't work.
La luce posteriore e il cambio non funzionano più.
La lutshe posteryore e il kambyo non funtsyonano pyu

167

1. il cambio
2. il freno
3. il manubrio
4. il campanello
5. il cavo del freno
6. il faro
7. la gomma
8. il raggio
9. la valvola
10. il telaio
11. il parafango
12. il pedale
13. la sella
14. la pompa pneumatica
15. la catena
16. il portabagagli
17. il supporto
18. la luce posteriore

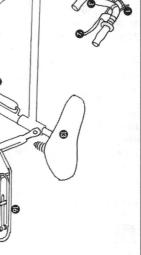

168

Descriptions of commonly found tools and spare parts		
ball bearing	il cuscinetto a sfere	*kushinetto a sfere*
bottom bracket	la serie movimento	*serie movimento*
brake cable	il cavo del freno	*kavo del freno*
chain	la catena	*katena*
clippers	la tenaglia	*tenalya*
cross key	la chiave a croce	*kyave a krotshe*
gear cable	il cavo per il cambio	*kavo per il kambyo*
hammer	il martello	*martello*
hub	il mozzo	*motso*
inner tube	la camera d'aria	*kamera daria*
puncture repair kit	gli accessori per la riparazione di forature	*atshessori per la riparatsyone di forature*
screw driver	il cacciavite	*katshavite*
spanner	la chiave inglese	*kyave inglese*

We'd like to buy luggage bags
Vorremmo comprare delle borse.
Voremmo komprare delle borse

My motorbike has been stolen.
Mi hanno rubato la motocicletta.
Mi anno rubato la mototshikletta

We need suntan lotion.
Abbiamo bisogno della crema solare.
Abyamo bisonyo della krema solare

Where can we buy two raincoats?
Dove possiamo comprare due giacche impermeabili?
Dove possyamo komprare due dshake impermeabili

Problems with the bike

dialogue

My brakes aren't working properly.
Ho dei problemi con i freni.
O dei problemi kon i freni

Cycling is a very popular sport in the country of the Giro d'Italia , however, cyclists do not have an easy life in traffic. If you wish to spend a relaxing holiday on two wheels, then stick to the back roads and do not travel in the peak holiday period (July/August).
A detailed map is an absolute must for cyclists.

Necessary items in your luggage are rainwear and sufficient sun protection - sunglasses, sunscreen and a helmet to which you can attach a cloth to protect your neck.

They need to be adjusted.
Devono essere regolati.
Devono essere regolati

Will that take long?
Durerà molto?
Durera molto

I can attend to it immediately.
Posso occuparmene subito.
Posso okuparmene subito

That would be nice. Thank you.
È gentile da parte Sua. La ringrazio.
E dshentile da parte sua. La ringratsio

You also need a new back light.
Ha bisogno anche di un riflettore posteriore nuovo.
A bisonyo anke di un rifletore posteryore nuovo

I didn't notice that.
Non ci ho fatto neanche caso.
Non tshi o fatto neanke kaso

The bulb doesn't work.
La lampadina è difettosa.
La lampadina e difetosa

170

HOLIDAY

Contents

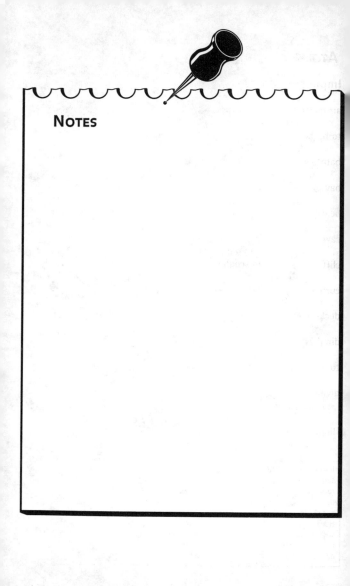

NOTES

AT THE SEASIDE

Important words

words

air mattress	**il materassino pneumatico** *materassino pneumatiko*
to bathe	**fare il bagno** *fare il banyo*
bathtowel	**l'asciugamano (m) da bagno** *lashugamano da banyo*
bay	**la baia** *baya*
beach	**la spiaggia** *spyadsha*
cave	**la caverna/la grotta** *kaverna/grotta*
cliff	**lo scoglio** *skolyo*
current	**la corrente** *korente*
deck-chair	**la sedia a sdraio** *sedya a sdrayo*
dinghy	**il canotto pneumatico** *kanotto pneumatiko*
to dive	**fare nuoto subacqueo** *fare nuoto subakueo*
diving equipment	**l'equipaggiamento subacqueo (m)** *lekuipadshamento subakueo*
flippers	**le pinne** *pinne*

Italy offers the ideal prerequisites for a seaside holiday: the country is surrounded by water on three sides and boasts a variety of sand and rocky beaches on the Adriatic and Mediterranean. The big rush to the beaches is in July and August when you do not have to worry about not getting warm weather and a comfortably warm water temperature. However, prices in the main season are correspondingly high. If you wish to have a more reasonably priced holiday at the beach, then travel in September. The climate still allows you to go bathing then. Another advantage: the masses of tourists have all gone home.

173

goggles	la maschera
	maskera
high tide	l'alta marea (f)
	lalta marea
jellyfish	la medusa
	medusa
life-belt	il salvagente
	salvadshente
life-boat	la barca di salvataggio
	barka di salvatadsho
life-guard	il bagnino
	banyino
low tide	la bassa marea
	bassa marea
non-swimmer	il non nuotatore
	non nuotatore
nudist beach	la spiaggia per nudisti
	spyadsha per nudisti

 There are several stretches of coast in Italy where the currents make swimming quite treacherous. Apart from paying attention to the red flag, which means absolutely no swimming, do listen to the locals.

Be careful!	Attenzione!/	*Attentsyone/*
	Stai attento!	*Stai atento*
Everything alright?	Tutto a posto?	*Tutto a posto*
Help!	Aiuto!	*Ayuto*
Watch out!	Attenzione!	*Attentsyone*
We need help!	Abbiamo bisogno	*Abyamo bisonyo di ayuto*
	di aiuto!	

parasol	l'ombrellone (m)
	lombrellone
pebble beach	la spiaggia di sassi
	spyadsha di sassi
rock	gli scogli
	skolyi
red flag	la bandiera rossa
	bandyera rossa
sand	la sabbia
	sabya

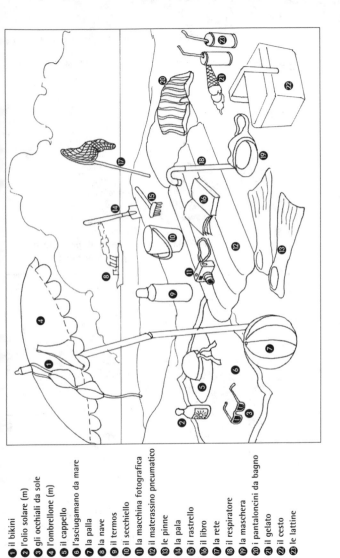

1. il bikini
2. l'olio solare (m)
3. gli occhiali da sole
4. l'ombrellone (m)
5. il cappello
6. l'asciugamano da mare
7. la palla
8. la nave
9. il termos
10. il secchiello
11. la macchina fotografica
12. il materassino pneumatico
13. le pinne
14. la pala
15. il rastrello
16. il libro
17. la rete
18. il respiratore
19. la maschera
20. i pantaloncini da bagno
21. il gelato
22. il cesto
23. le lattine

sandy beach	la spiaggia di sabbia
	spyadsha di sabya
sea-bed	il fondo marino
	fondo marino
sea-weed	l'alga marina (f)
	lalga marina
shade	l'ombra (f)
	lombra
shells	la conchiglia
	konkilya
shower	la doccia
	dotsha
snorkel	il respiratore
	respiratore
to surf	fare il surfing
	fare il surfing
sun-bathing	il bagno di sole
	banyo di sole

You can hire deck chairs (**sedia a sdraio** _sedya a sdrayo_) and a beach parasol (**ombrellone** _ombrellone_).

Refreshments, sweets and ice cream can usually be obtained from stands located directly on the beach; prices are - depending on where you are - quite high.

»Topless bathing« is becoming increasingly tolerated; however, you should not do it everywhere, but take notice of local customs. Nudism (**nudismo** _nudismo_) is only permitted on designated beaches.

sunburn	la scottatura
	skottatura
sunglasses	gli occhiali da sole
	okyali da sole
suntan lotion	la crema solare
	krema solare
to swim	nuotare
	nuotare
water wings	i bracciali salvagente
	bratshali salvadshente
waves	le onde
	onde

The water		
The water is	L'acqua è	*Lakua e*
– cold	– fredda	– *fredda*
– clean	– pulita	– *pulita*
– dirty	– sporca	– *sporka*
– warm	– calda	– *kalda*

The tide		
The tide is	La corrente	*La korente*
– falling	– viene da terra	– *vyene da terra*
– rising	– viene dal mare	– *vyene dal mare*
– weak	– è debole	– *e debole*
– strong	– è forte	– *e forte*

The waves		
The waves are	Le onde sono	*Le onde sono*
– flat	– piatte	– *pyatte*
– high	– alte	– *alte*
– short	– corte	– *korte*
– long	– lunghe	– *lunge*
– low	– basse	– *basse*

The wind		
The wind is	Il vento è	*Il vento e*
– calming down	– calante	– *kalante*
– mild	– debole	– *debole*
– strong	– forte	– *forte*
– stormy	– tempestoso	– *tempestoso*

Important phrases

Is there a beach near here?
C'è una spiaggia qui vicino?
Tshe una spyadsha kui vitshino

How do we get to the beach?
Dove si va per la spiaggia?
Dove si va per la spyadsha

Is it alright to swim here?
Si può fare il bagno qui?
Si puo fare il banyo kui

How far out can we swim?
Fin dove si può nuotare?
Fin dove si puo nuotare

Are there currents here?
Ci sono delle correnti?
Tshi sono delle korenti

When is low/high tide?
Quando viene la bassa marea/l'alta marea?
Kuando vyene la bassa marea/lalta marea

Is it dangerous for children?
È pericoloso per i bambini?
E perikoloso per i bambini

Where can you hire a deck-chair?
Dove si può noleggiare una sedia a sdraio?
Dove si puo noledshare una sedya a sdrayo

How much is it per hour/per day?
Quanto costa all'ora/al giorno?
Kuanto kosta allora/al dshorno

Would you mind keeping an eye on my
things for a moment, please?
**Starebbe attento per un attimo alle mie cose,
per favore?**
*Starebe atento per un atimo alle mie kose, per
favore*

 Useful words when you go to a swimming pool

changing-room	**la cabina**	*kabina*
diving board	**il trampolino**	*trampolino*
diving platform	**il tuffo alto**	*tuffo alto*
first aid attendant	**l'infermiere (m)**	*infermyere*
locker	**l'armadietto (m)**	*larmadyetto*
open-air pool	**la piscina all'aperto**	*pishina allaperto*
paddling pool	**la piscina per bambini**	*pishina per bambini*
pool attendant	**il bagnino**	*banyino*
sauna	**la sauna**	*sauna*
solarium	**il solarium**	*solarium*
swimming cap	**la cuffia**	*kuffya*
ticket office	**la cassa**	*kassa*
towel	**l'asciugamano (m)**	*lashugamano*
wave pool	**la piscina ad onde**	*pishina ad onde*

On the beach

Is the water warm today?
È calda oggi l'acqua?
E kalda odshi lakua

It is warmer than over the last few days.
È più calda dei giorni scorsi.
E pyu kalda dei dshorni skorsi

It looks quite calm.
Sembra anche molto calma.
Sembra anke molto kalma

There are hardly any waves, but there is a strong current in some places.
Non ci sono quasi onde, però in alcuni tratti c'è una forte corrente.
Non tshi sono kuasi onde, pero in alkuni tratti tshe una forte korente

Do you think that the children can still swim?
Pensa che i bambini possano fare il bagno lo stesso?
Pensa ke i bambini possano fare il banyo lo stesso

Yes, but they shouldn't swim out too far.
Sì, ma non devono allontanarsi troppo.
Si, ma non devono alontanarsi troppo

I'll keep an eye on them.
Li terrò d'occhio.
Li terro dokyo

Why don't you go swimming with them?
Ma perché non va anche Lei in acqua?
Ma perke non va anke ley in akua

179

Sightseeing Tour

Important words

abbey	l'abbazia (f)
	labatsia
arcade	l'arcata (f)
	larkata
arch	l'arco (m)
	larko
art collection	la collezione di quadri
	kolletsyone di kuadri
bay	la baia
	baya
belfry	il campanile
	kampanile
birthplace	la casa natale
	kasa natale
botanical garden	il giardino botanico
	dshardino botaniko
bridge	il ponte
	ponte

Italy looks back on a long cultural tradition; the country was one of the most significant starting points for European culture and the history of the continent. The Italians are gradually doing justice to this historical responsibility; the many monuments and other cultural facilities - especially in Rome - are being maintained and supported at a great expense. Even people who normally dislike museums should reconsider during a holiday in Italy and take a look at the manifold facets of the local culture. They will especially get their money's worth in the field of art history.

building	l'edificio (m)
	ledifitsho
castle	il castello
	kastello
cathedral	la cattedrale / il duomo
	katedrale / duomo

cave	**la grotta**
	grotta
cemetery	**il cimitero**
	tshimitero
chapel	**la cappella**
	kapella
church	**la chiesa**
	kyesa
city centre	**il centro**
	tshentro
convent	**il convento**
	konvento

> In many towns the tourist information office has brochures with well described walks around the town centre. Here you can also find out if and when there are guided tours. ⓘ

court	**il cortile**
	kortile
covered market	**il mercato coperto**
	merkato koperto
excavations	**gli scavi**
	skavi
fort	**la fortezza**
	fortetsa
fountain	**la fontana**
	fontana
gallery	**la galleria**
	galleria
gate	**la porta**
	porta
hall	**la sala**
	sala
house	**la casa**
	kasa
landscape	**il paesaggio**
	paesadsho
library	**la biblioteca**
	biblioteka
monastery	**il monastero**
	monastero

Useful words when visiting churches and monasteries

altar	l'altare (m)	*laltare*
bell	la campana	*kampana*
ceiling	il soffitto	*soffito*
chapel	la cappella	*kapella*
choir	il coro	*koro*
choir stalls	lo stallo del coro	*stallo del koro*
cloister	il chiostro	*kyostro*
cross	la croce/	*krotshe/*
	il crocifisso	*krotshifisso*
crypt	la cripta	*kripta*
dome	la cupola	*kupola*
facade	la facciata	*fatshata*
inscription	la scritta	*skritta*
monastery/	il monastero/	*monastero/*
convent	il convento	*konvento*
organ	l'organo (m)	*lorgano*
pillar	la colonna	*kolonna*
portal	il portale	*portale*
pulpit	il pulpito	*pulpito*
rose window	il rosone	*rosone*
tomb	la tomba	*tomba*
treasury	il tesoro	*tesoro*
vault	la volta	*volta*
window	la finestra	*finestra*

monument	il monumento
	monumento
mountains	le montagne
	montanye
museum	il museo
	museo
national park	il parco nazionale
	parko natsyonale
nature reserve	la zona protetta
	dsona protetta
old town	il centro storico
	tshentro storiko
opera	l'opera (f)
	lopera
palace	il palazzo
	palatso
park	il parco
	parko

port	il porto	*porto*
quarter	il quartiere	*kuartyere*
ravine	la gola	*gola*
river	il fiume	*fyume*
rock	la roccia	*rotsha*
ruin	la rovina	*rovina*
sea	il mare	*mare*
source	la sorgente	*sordshente*
square	la piazza	*pyatsa*

Styles of art

Art Nouveau	il liberty	*liberti*
baroque	il barocco	*barokko*
classicism	il classicismo	*klassitshismo*
expressionism	l'espressionismo (m)	*lespressyonismo*
Gothic	il gotico	*gotiko*
impressionism	l'impressionismo (m)	*limpressyonismo*
Norman era	il romanico	*romaniko*
renaissance	il rinascimento	*rinashimento*
Romantic era	il romantico	*romantiko*

Works of arts

bronze	il bronzo	*brontso*
ceramics	la ceramica	*tsheramika*
fresco	l'affresco (m)	*lafresko*
mosaic	il mosaico	*mosaiko*
mural	la pittura murale	*pitura murale*
painting	il quadro	*kuadro*
print	lo stampo	*stampo*
relief	il rilievo	*rilyevo*
sculpture	la scultura	*skultura*
vase	il vaso	*vaso*
wood carving	l'intaglio (m)	*lintalyo*

stairs	la scala
	_ska_la
stalactite cave	la grotta di stalattiti
	_grotta di stala_titi
statue	la statua
	statua
stock exchange	la borsa
	_bor_sa
theatre	il teatro
	teatro
tomb	la tomba
	tomba

Tours are available in larger, historically significant towns. You can book day trips in almost all tourist regions. Information is available from the tourist information office.

► Are there sightseeing tours?
Ci sono giri turistici della città?
Tshi sono dshiri turistitshi della tshita

► How much is it and how long does the tour take?
Quanto costa il percorso e quanto dura?
Kuanto kosta il perkorso e kuanto dura

► When do we start and when do we get back?
Quando comincia e quando siamo di ritorno?
Kuando komintsha e kuando syamo di ritorno

► A ticket for the sightseeing tour, please.
Un biglietto per il giro turistico, per favore.
Un bilyetto per il dshiro turistiko, per favore

► I'd like a ticket for tomorrow's excursion.
Vorrei un biglietto per il percorso di domani.
Vorey un bilyetto per il perkorso di domani

tower	la torre
	_tor_re
town hall	il municipio
	munitshipyo
town walls	le mura (della città)
	mura (della tshita)
university	l'università (f)
	luniversita

valley	**la valle**
	valle
view-point	**il belvedere**
	belvedere
waterfall	**la cascata**
	kaskata
wharf	**il molo**
	molo
woods	**il bosco**
	bosko

Important phrases

What are the places of interest around here?
Quali attrazioni ci sono qui?
Kuali atratsyoni tshi sono kui

What are the opening hours of the museum?
Quando è aperto il museo?
Kuando e aperto il museo

What's the admission charge?
Quanto costa l'entrata?
Kuanto kosta lentrata

Are there guided tours?
Ci sono delle visite guidate?
Tshi sono delle visite guidate

When does the guided tour start?
Quando comincia la visita guidata?
Kuando komintsha la visita guidata

Do you have a catalogue?
Ha un catalogo?
A un katalogo

Is photography allowed?
Si possono fare delle fotografie?
Si possono fare delle fotografie

Concessions for
La riduzione per
La ridutsyone per
– families
  le famiglie
  familye
– children
  i bambini
  i bambini
– seniors
  i pensionati
  i pensyonati

185

dialogue

Visiting a castle

Would you like a guide?
Vuole una guida?
Vuole una guida

Yes please. Do you have one in English?
Volentieri. Ha anche degli esemplari in inglesa?
Volentyeri. A anke delyi esemplari in inglesa

I'm afraid not, but I can give you a
pamphlet in English.
**Purtroppo no, però posso darle un volantino
in inglesa.**
*Purtroppo no, pero posso darle un volantino in
inglesa*

Thank you. What is especially worth seeing?
Grazie mille. Che cosa c'è di notevole?
Gratsie mille. Ke kosa tshe di notevole

The collection of paintings on the top floor.
La raccolta di quadri al piano superiore.
La rakolta di kuadri al pyano superyore

Is there also something for children?
Ci sono anche delle attrazioni per bambini?
Tshi sono anke delle atratsyoni per bambini

In the basement is a very old kitchen from the
19th century.
**In cantina si trova una cucina arredata
nello stile del 19° secolo.**
*In kantina si trova una kutshina aredata nello
stile del ditshanovesimo sekolo*

That sounds quite interesting.
Mi sembra molto interessante.
Mi sembra molto interessante

IN THE CINEMA OR THEATRE

Important words

advance booking	la prevendita
	prevendita
auditorium	la sala spettatori
	sala spetatori
ballet	il balletto
	balletto
box office	la cassa
	kassa
cloakroom	il guardaroba
	guardaroba
composer	il compositore
	kompositore
concert	il concerto
	kontsherto

In the large cities, especially Rome and Milan, theatre and opera performances are often sold out weeks in advance. Therefore you should reserve tickets from home before you go on holiday. If you decide to attend a performance at short notice then phone ahead and ask if there are any unsold tickets. Your hotel concierge can also help you obtain tickets.

conductor	il direttore d'orchestra
	diretore dorkestra
emergency exit	l'uscita (f) di sicurezza
	lushita di sikuretsa
entrance	l'entrata (f)
	lentrata
exit	l'uscita (f)
	lushita
festival	il festival
	festival
film	il film
	film
interval	l'intervallo (m)
	lintervallo

187

leading actor	l'attore principale
	latore printshipale
musical	il musical
	myusikel
opera	l'opera (f)
	lopera
performance	la recita/lo spettacolo
	retshita/spetakolo
play	lo spettacolo/il dramma
	spetakolo/dramma
production	la messa in scena
	messa in tshena
programme	il programma
	programma
sold out	esaurito
	esaurito
theatre	il teatro
	teatro
ticket	il biglietto (d'ingresso)
	bilyetto (dingresso)
usher	la maschera
	maskera

Seats in theatres and concert halls and (open-air) concerts are categorised in the same way as at home. In Rome and during the large festivals in Milan and Verona, you would be advised to ensure that you obtain tickets for the performances in good time.

box	il palco	*palko*
circle	la balconata	*balkonata*
gallery	la galleria	*galleria*
stalls	la platea	*platea*
standing room	il posto in piedi	*posto in pyedi*

centre	al centro	*al tshentro*
left	a sinistra	*a sinistra*
right	a destra	*a destra*

row	la fila	*fila*
seat	il posto	*posto*

The Italians place a great deal of importance on showing own productions in the cinemas. Films from other countries are usually dubbed, however, there are many films shown in the original language with Italian subtitles.

cartoon	il cartone animato	kartone animato
comedy	la commedia	kommedia
commercials	la pubblicità	publitshita
director	il regista	redshista
feature film	il lungometraggio	lungometradsho
first showing	la prima	prima
original	la versione originale	versyone oridshingale
screen	lo schermo	skermo
subtitles	i sottotitoli	sottotitoli
thriller	il film giallo	film dshallo

Important phrases

Have you got a programme?
Ha un programma?
A un programma

What's on tonight?
Che cosa c'è stasera?
Ke kosa tshe stasera

When does the performance start?
Quando comincia lo spettacolo?
Kuando komintsha lo spetakolo

When do the doors open?
Da quando si può entrare?
Da kuando si puo entrare

Where can I get tickets?
Dove si comprano i biglietti?
Dove si komprano i bilyetti

Are there any concessions?
Ci sono dei biglietti ridotti?
Tshi sono dei bilyetti ridotti

189

Can I reserve tickets?
Posso prenotare dei biglietti?
Posso prenotare dei bilyetti

Are there any tickets left for tonight?
Ci sono ancora dei biglietti per stasera?
Tshi sono ankora dei bilyetti per stasera

One ticket for the night performance, please.
**Vorrei un biglietto per lo spettacolo di
stasera.**
*Vorey un bilyetto per lo spetakolo di
stasera*

Concessions for
La riduzione per
La ridutsyone per
– families
  le famiglie
  familye
– children
  i bambini
  i bambini
– senior citizens
  i pensionati
  i pensyonati

How much does a ticket cost?
Quanto costa un biglietto?
Kuanto kosta un bilyetto

Are the seats numbered?
I posti sono numerati?
I posti sono numerati

Can I have a programme, please?
Ha un programma per me, per favore?
A un programma per me, per favore

Where's the cloakroom?
Dov'è il guardaroba?
Dove il guardaroba

What's on at the cinema tonight?
Cosa danno al cinema stasera?
Kosa danno al tshinema stasera

Will the film be shown in the original version?
Si mostra il film nella versione originale?
Si mostra il film nella versyone oridshinale

What is the rating for the film?
Fino a che età il film è vietato?
Fino a ke eta il film e viyetato

At the box office

Do you still have two tickets for the evening performance?
Ha ancora due biglietti per lo spettacolo serale?
A ankora due bilyetti per lo spetakolo serale

Yes, but only in the last row.
Sì, ma soltanto in ultima fila.
Si, ma soltanto in ultima fila

I would prefer to sit in a box.
Preferisco un posto sul palco.
Preferisko un posto sul palko

I'm sorry, but they are sold out.
Mi dispiace, ma è tutto esaurito.
Mi dispyatshe, ma e tutto esaurito

Can I reserve tickets for tomorrow?
Posso riservare dei biglietti per domani?
Posso riservare dei bilyetti per domani

Yes, and there are still box tickets available for tomorrow.
Sì. Per domani può avere anche dei biglietti per il palco.
Si. Per domani puo avere anke dei bilyetti per il palko

Then I'll take them.
Allora li prendo.
Alora li prendo

80 000 liras, please.
80 000 lire, per cortesia.
Ottantamila lire, per kortesia

191

words

SPORTS

Important words

angling	**pescare**
	peskare
athletics	**l'atletica leggera (f)**
	latletika ledshera
badminton	**il badminton**
	bedminton
ball	**la palla**
	palla
basketball	**la pallacanestro**
	pallakanestro
bicycle	**la bicicletta**
	bitshikletta
billiards	**il biliardo**
	bilyardo
boat hire	**il noleggio di barche**
	noledsho di barke
canoe	**la canoa**
	kanoa
crazy golf	**il minigolf**
	minigolf
cycling	**andare in bicicletta**
	andare in bitshikletta
deep-sea fishing	**la pesca d'alto mare**
	peska dalto mare
diving	**fare nuoto subacqueo**
	fare nuoto subakueo
football	**il calcio**
	kaltsho
football ground	**il campo di calcio**
	kampo di kaltsho
golf	**il golf**
	golf
gymnastics	**la ginnastica**
	dshinnastika
handball	**la palla a mano**
	palla a mano

hockey	**l'hockey sul prato**
	loki sul prato
horse-racing	**la corsa ippica**
	korsa ipika
horse-riding	**cavalcare**
	kavalkare
jogging	**fare footing**
	fare futing
kayak	**il kayak**
	kayak
motorboat	**il motoscafo**
	motoskafo
mountaineering	**l'alpinismo (m)**
	lalpinismo

Italy is one of the most important countries in the field of cycling. In 1909 the first Giro d'Italia took place – a stage race modelled on the Tour de France that had begun in 1903 and which has now become, alongside the French race, one of the most prestigious bike races in the world. For a long time the winners of the Giro d'Italia were all Italians. It wasn't until 1950 that a foreigner was able to take the title - Hugo Koblet from Switzerland. Among the stars who have won this difficult race five times are Alfredo Binda (1920s and 1930s) and Fausto Coppi (1940s and 1950s).

Italy also has much to offer hobby cyclists. There are stretches of road with almost every level of difficulty - from the flatlands of the River Po to the Alps. In spite of the Italian love of cycling, on the roads the car is king - therefore cyclists should definitely pack a good map into their hand luggage showing the minor roads.

paddling boat	**la canoa**
	kanoa
pedal boat	**il moscone**
	moskone
playing	**giocare**
	dshokare
rowing	**il canottaggio**
	kanotadsho
rowing-boat	**la barca a remi**
	barka a remi
sailing	**andare in barca a vela**
	andare in barka a vela

1 i guanti da pugilato
2 gli occhiali da sci
3 lo sci
4 i bastoncini
5 la slitta
6 le pinne
7 la palla da tennis
8 la racchetta da tennis
9 le mazze da golf
10 la racchetta da badminton
11 il volano
12 le scarpe da ginnastica
13 il pallone
14 le scarpe da skating
15 la racchetta da ping-pong
16 la palla da ping-pong
17 la maschera da scherma
18 la spada/il fioretto
19 lo skate-board

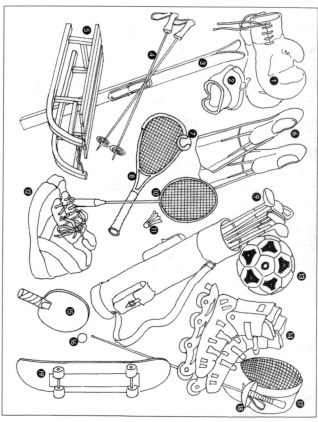

194

sky-diving	**il paracadutismo**
	parakadutismo
squash	**lo squash**
	skvosh
surfboat	**la tavoletta per il surf**
	tavoletta per il surf
surfing	**fare surfing**
	fare surfing
swimming	**nuotare**
	nuotare
table-tennis	**il ping-pong**
	ping-pong
tennis	**il tennis**
	tennis
tennis court	**il campo da tennis**
	kampo da tennis
tennis-racket	**la racchetta da tennis**
	raketta da tennis
volleyball	**la pallavolo**
	pallavolo
winter sports	**lo sport invernale**
	sport invernale

Important phrases

phrases

What sports facilities are there here?
Che sport si può praticare qui?
Ke sport si puo pratikare kui

What sport do you play?
Che sport pratica?
Ke sport pratika

I'd like to play a round of golf.
Vorrei fare un corso di golf.
Vorey fare un korso di golf

I'd like to hire a boat.
Vorrei noleggiare una barca.
Vorey noledshare una barka

195

Italy's alpine regions make it an ideal destination for winter sport enthusiasts from all over the world; hotel beds and holiday apartments are usually booked out well in advance.

Sports

cross-country	**lo sci di fondo**	*shi di fondo*
ice hockey	**l'hockey sul ghiaccio (m)**	*oki sul gjatsho*
ice-skating	**pattinare**	*patinare*
skiing	**sciare**	*shiare*

All about skiing

binding	**l'attacco (m)**	*latako*
chair-lift	**la seggiovia**	*sedshovia*
dry snow	**la neve farinosa**	*neve farinosa*
frozen	**ghiacciato**	*gyatshato*
funicular	**la funivia**	*funivia*
glacier	**il ghiacciaio**	*gyatshayo*
ski-course	**il corso di sci**	*korso di shi*
ski	**lo sci**	*schi*
skiing equipment	**l'equipaggiamento da sci (m)**	*lekuipadshamento da shi*
ski instructor	**il maestro di sci**	*maestro di shi*
ski-run	**la pista**	*pista*
ski-school	**il corso di sci**	*korso di shi*
ski-shoes	**gli scarponi da sci**	*ßkarponi da schi*
ski-sticks	**i bastoncini**	*bastontshini*
ski-wax	**la sciolina**	*shiolina*
slope	**la discesa**	*dishesa*
snow	**la neve**	*neve*
snowline	**il limite delle nevi eterne**	*limite delle nevi eterne*
tow-lift	**lo skilift**	*shilift*

Phrases

▶ Where can I register for a ski-course?
   Dove mi posso iscrivere al corso di sci?
   Dove mi posso iskrivere al korso di shi
▶ I'm a beginner./I'm advanced./I'm an expert.
   Sono un principiante/uno sciatore di livello superiore/un bravo sciatore.
   sono un printshipyante/uno shiatore di livello superyore/un bravo shiatore
▶ I would like to buy a ski-pass for one day/for one week.
   Vorrei comprare uno ski-pass per un giorno/una settimana.
   Vorej komprare uno shi-pass per un dshorno/una setimana
▶ Which is an easy/difficult slope?
   Qual è una discesa facile/difficile?
   Kuale una dishesa fatshile/difitshile

Boccia (*Botsha*) is a speciality in Italian sport. It is a game that above all has a high degree of social and communication value. Especially the (older) male inhabitants of a village meet at a centrally located, flattened sand pitch each week - in some places every evening - to find out who are the local boccia champions. In this national sport, the players from two teams attempt to get their two metal balls closer to a smaller wooden ball than their opponents. Depending on the tactics used, they either attempt to throw it close to the ball or to knock the opponents' better positioned ball out of the way. The heated discussions of the opposing teams are a joy to listen to and watch.

Is there a football ground here?
C'è un campo di calcio qui?
Tshe un kampo di kaltsho kui

I'd like to hire a badminton-court.
Vorrei prenotare un campo di badminton.
Vorey prenotare un kampo di bedminton

How much does an hour cost?
Quanto costa per un'ora?
Kuanto kosta per unora

Where can I go fishing?
Dove si può pescare qui?
Dove si puo peskare kui

When does the football match start?
Quando comincia la partita di calcio?
Kuando komintsha la partita di kaltsho

At the tennis court

dialogue

We would like to rent a tennis court for two hours.
Vorremmo noleggiare il campo da tennis per due ore.
Vorremmo noledshare il kampo da tennis per due ore

Right now?
Adesso?
Adesso

If it is possible.
Lo preferiremmo.
Lo preferiremmo

I think I can only offer you a court around
  midday. And then only for one hour.
**Posso offrir Le un campo solo verso
  mezzogiorno. E soltanto per un'ora.**
*Posso ofrir le un kampo solo verso
  medsodshiorno. E soltanto per unora*

Is the court right in the sun?
Batte il sole sul campo?
Batte il sole sul kampo

Yes, but at the moment the temperatures are
  quite bearable.
**Sì, ma al momento le temperature sono
  molto gradevoli.**
*Si, ma al momento le temperature sono
  molto gradevoli*

Then please reserve the court for us.
Allora ci prenoti il campo per cortesia.
Alora tshi prenoti il kampo per kortesia

Do you have your own rackets?
Ha delle racchette?
A delle rakette

My friend would like to rent one.
Il mio amico vorrebbe prenderne una in affitto.
Il mio amiko vorebe prenderne una in afito

HIKING

Important words

words

to climb	**scalare** *ska<u>la</u>re*
climbing boots	**gli scarponi da montagna** *skar<u>po</u>ni da mon<u>ta</u>nya*
compass	**la bussola** *<u>bus</u>sola*
hiking trail	**il sentiero** *sen<u>tye</u>ro*
hut	**il rifugio** *ri<u>fu</u>dsho*
map of walks	**la carta dei sentieri** *<u>kar</u>ta dei sen<u>tye</u>ri*
mountain	**la montagna** *mon<u>ta</u>nya*
mountain climbing	**l'alpinismo (m)** *lalpi<u>ni</u>smo*
mountain guide	**la guida alpina** *<u>gui</u>da al<u>pi</u>na*
mountains	**le montagne** *mon<u>ta</u>nye*
rope	**la corda** *<u>kor</u>da*
rucksack	**il sacco alpino** *<u>sa</u>ko al<u>pi</u>no*
to walk	**fare escursioni** *<u>fa</u>re eskur<u>syo</u>ni*
walking shoes	**le scarpe da escursione** *<u>skar</u>pe da eskur<u>syo</u>ne*

> Italy has a tight network of marked hiking paths with different levels of difficulty, so that the experienced hiker can have just as much fun as the novice. These paths are often marked out by regional conservation associations, however, you can also obtain detailed maps from the tourist information offices. Individualists can put their own walking tours together, or those who prefer to make things easier for themselves can walk on set routes. To walk in the mountains you should be reasonably fit and have some hiking experience. **i**

Important phrases

I'd like to go for a hike in the mountains.
Vorrei fare un percorso alpino.
Vorey fare un perkorso alpino

Are there guided walks?
Ci sono escursioni guidate?
Tshi sono eskursyoni guidate

Can you recommend an easy tour/
 a difficult tour?
**Mi può consigliare un percorso piuttosto
 facile/difficile?**
*Mi puo konsilyare un perkorso pyutosto fatshile/
 difitshile*

Can you show me an interesting route on
 the map of walks?
**Mi può indicare un percorso interessante
 sulla carta dei sentieri?**
*Mi puo indikare un perkorso interessante sulla
 karta dei sentyeri*

Is the route safe/well marked for walking?
Il sentiero è ben sicuro/indicato?
Il sentyero e ben sikuro/indikato

On the trail

Sorry, is this the way to Gran Paradiso?
**Mi scusi, è questa la via per il Gran
 Paradiso?**
*Mi skusi, e kuesta la via per il Gran
 Paradiso*

Yes, you're on the right road.
Sì, è questa.
Si, e kuesta

Is there also a short cut?
Esiste anche una scorciatoia?
Esiste anke una skortshatoya

Take the next fork on the road left and
after that the second right.
**Vada al prossimo bivio a sinistra e la
seconda possibilità a destra.**
*Vada al prossimo bivyo a sinistra e la
sekonda possibilita a destra*

How much time will that save?
Quanto tempo si risparmia?
Kuanto tempo si risparmya

At least half an hour.
Una mezzoretta.
Una medsoretta.

Is the road safe?
È la strada ben protetta?
E la strada ben protetta

Generally yes, but you shouldn't be
careless.
In genere sì, ma faccia attenzione.
In dshenere si, ma fatsha attentsyone

Is there anywhere along the road to
make a stop?
**Si può sostare in qualche locale
durante il cammino?**
*Si puo sostare in kualke lokale
durante il kamino*

Yes, about halfway there is a fine
restaurant.
**Sì, a metà strada c'è una trattoria
buona.**
*Si, a meta strada tshe una tratoria
buona*

words

PHOTOGRAPHY AND VIDEO

Important words

aperture	**il diaframma**
	dia<u>fra</u>mma
battery	**la pila**
	<u>pi</u>la
black and white film	**la pellicola in bianco e nero**
	pel<u>li</u>kola in <u>byan</u>ko e <u>ne</u>ro
camera	**la macchina fotografica**
	<u>ma</u>kina foto<u>gra</u>fika
exposure meter	**l'esposimetro (m)**
	lespo<u>si</u>metro
film	**la pellicola**
	pel<u>li</u>kola
film camera	**la cinepresa**
	tshine<u>pre</u>sa
filter	**il filtro**
	<u>fil</u>tro
flash light	**il flash**
	flesh
laboratory	**il laboratorio fotografico**
	labora<u>to</u>rio foto<u>gra</u>fiko

As a rule of thumb it can be said that photographic material is as expensive as at home. You are permitted to take photos almost everywhere. For interior photos (especially castles, museums and churches) it is advisable to ask first if the taking of photographs is permitted or if there are certain restrictions - e.g., no photographs using a flash.

lens	**l'obiettivo (m)**
	lobye<u>ti</u>vo
lens cap	**il coperchio dell'obiettivo**
	ko<u>per</u>kyo delobye<u>ti</u>vo
photograph	**la foto**
	<u>fo</u>to
self-timer	**l'autoscatto (m)**
	lauto<u>skat</u>to

In most holiday resorts you will find shops that will develop your films and supply prints within 24 hours at an extra cost.

Words

to develop	**sviluppare**	*svilupare*
glossy	**su carta lucida**	*su karta lutshida*
to have reprints made	**fare delle copie**	*fare delle kopye*
matt	**opaca**	*opaka*
to pick up	**venire a prendere**	*venire a prendere*
size	**il formato**	*formato*

Phrases

▶ I'd like this film developed.
Vorrei far sviluppare questa pellicola.
Vorey far svilupare kuesta pellikola

▶ A ... by ... print of each negative, please.
Una copia nel formato ... per ..., per favore.
Una kopya nel formato ... per ..., per favore

▶ When will the prints be ready?
Quando saranno pronte le copie?
Kuando saranno pronte le kopye

shot	**la ripresa**	*ripresa*
slide	**la diapositiva**	*diapositiva*
slide-film	**la pellicola per diapositive**	*pellikola per diapositive*
snap	**la fotografia**	*fotografia*
subject	**il motivo**	*motivo*
telephoto lens	**il teleobiettivo**	*teleobyetivo*
tripod	**lo stativo**	*stativo*
video camera	**la videocamera**	*videokamera*
wide-angle lens	**il grandangolare**	*grandangolare*
zoom	**lo zoom**	*sum*

Important phrases

Can I take photos here?
Si possono fare delle fotografie qui?
Si possono fare delle fotografie qui

Can I take your photo, please?
Le posso fare una foto?
Le posso fare una foto

Would you take a photo of us, please?
Ci potrebbe fare una foto?
Tshi potrebe fare una foto

I'd like a colour film.
Vorrei una pellicola a colori.
Vorey una pellikola a kolori

I'd like a (VHS) video cassette.
Vorrei una videocassetta (VHS).
Vorey una videokassetta (Vu Akka Esse)

I need a battery for this camera.
Ho bisogno di una pila per questa macchina fotografica.
O bisonyo di una pila per kuesta makina fotografika

Could you load the film for me, please?
Mi potrebbe inserire la pellicola?
Mi potrebe inserire la pellikola

The camera won't wind.
La macchina fotografica non trasporta la pellicola.
La makina fotografika non trasporta la pellikola

Could you repair my camera?
Mi può riparare la macchina fotografica?
Mi puo riparare la makina fotografika

204

Problems with the camera

My camera doesn't feed the film properly.
La mia macchina fotografica non trasporta più la pellicola.
La mia makina fotografika non trasporta pyu la pellikola

I'll open it back in the darkroom.
Apro l'apparecchio nella camera oscura.
Apro laparekyo nella kamera oskura

That's very nice of you.
È molto gentile da parte sua.
E molto dshentile da parte sua

The camera is all right but the film is damaged.
L'apparecchio è a posto. Però la pellicola è strappata.
Laparekyo e a posto. Pero la pellikola e strapata

Does that mean that all photos are ruined?
Ho perso tutte le riprese?
O perso tutte le riprese

No, I can develop it if you like.
No, glielo posso sviluppare se vuole.
No, lyelo posso svilupare se vuole

When can I pick up the prints?
Quando sono pronte le copie?
Kuando sono pronte le kopye

Tomorrow afternoon.
Domani pomeriggio.
Domani pomeridsho

205

NOTICES

INTERPERSONAL RELATIONSHIPS

Contents

DISCUSSIONS

Important phrases

What's your name?
Come ti chiami/Come si chiama?
Kome ti kyami/Kome si kyama

Personal data

My name is ...
Mi chiamo ...
Mi kyamo

Where are you from?
Di dove sei/Di dov'è?
Di dove sey/Di dove

I come from ...
Vengo dalla ...
Vengo dalla

The most common form of greeting in Italy is **Buongiorno** (good day; *Buondshiorno*). It does not matter if you want to say good morning or good afternoon. However, late afternoon and evenings you would use **Buonasera** (*Buonasera*). If you do not want to be so formal - e.g., among friends, then **Ciao** (*tshao*) is sufficient.

There are a whole series of ways of saying goodbye. Among friends the most common form is **Ciao**, which is also used as a greeting. Otherwise the most common way of saying goodbye is **Arrivederci** (see you later; *Arivedertshi*) or in more formal situations **ArrivederLa** (*Arivederla*). Besides the above you may also hear the following goodbyes:

Good luck	**Tante belle cose**	*Tante belle kose*
Good night	**Buonanotte**	*Buonanotte*
Have a nice trip	**Buon viaggio**	*Buon viadsho*
Have fun	**Buon divertimento**	*Buon divertimento*
See you later	**A più tardi**	*A pyu tardi*
See you soon	**A presto**	*A presto*
See you tomorrow	**A domani**	*A domani*
See you next time	**Alla prossima volta**	*Alla prossima volta*

How old are you?
Quanti anni hai/ha?
Kuanti anni ai/a

I'm ...
Ho ...
O

Do you have any sisters or brothers/children?
Hai/Ha dei fratelli/figli?
Ai/A dei fratelli/filyi

I have one brother and two sisters.
Ho un fratello e due sorelle.
O un fratello e due sorelle

What do you do for a living?
Che lavoro fa?
Ke lavoro fa

I'm a teacher.
Sono professore.
Sono professore

> Interpersonal contact is usually quite informal in Italy. The best example
> is the fact that first names are often used among people who do not
> know each other so well. However, if you have business contacts or
> have to visit public facilities, then you should use the polite form of
> address (**Lei** + 3rd. person singular).
>
> Strangers are often simply addressed as **Signore** or **Signora**; the surna-
> me can be added but this is not really necessary. If the name is added,
> the form changes from **Signore** to **Signor** (plus name).

Are you here for holidays?
È qui in vacanza?
E kui in vakantsa

**About the
holiday**

How long have you been here?
Da quando sei/è qui?
Da kuando sey/e kui

For ... days/weeks.
Da ... giorni/settimane.
Da ... dshorni/setimane

Is this your first time here?
È la prima volta che sei/è qui?
E la prima volta ke sey/e kui

No, I've been to Italy ... times.
No, sono stato/stata in Italia già ... volte.
No, sono stato/stata in Italya dsha ... volte.

Have you come on your own?
Sei/È qui da solo/sola?
Sey/e kui da solo/sola

I'm here with my friends.
Sono qui con i miei amici.
Sono kui kon i myei amitshi

 If you want to tell your new Italian acquaintance something about your day-to-day life and your family life or, if you are in fact on holiday together with several members of your family you will find the following descriptions of your most important relatives useful:

aunt	la zia	*dsia*
brother	il fratello	*fratello*
brother-in law	il cognato	*konyato*
daughter	la figlia	*filya*
father	il padre	*padre*
father-in-law	il suocero	*suotshero*
fiancé(e)	la fidanzata/ il fidanzato	*fidantsata/fidantsato*
grandfather	il nonno	*nonno*
grandmother	la nonna	*nonna*
husband	il marito	*marito*
mother	la madre	*madre*
mother-in-law	la suocera	*suotshera*
parents	i genitori	*dshenitori*
parents-in-law	i suoceri	*suotsheri*
sister	la sorella	*sorella*
sister-in-law	la cognata	*konyata*
son	il figlio	*filyo*
uncle	lo zio	*dsio*
wife	la moglie	*molye*

How much longer are you staying in Italy?
Per quanto tempo rimane ancora in Italia?
Per kuanto tempo rimani/rimane ankora in Italya

Do you like it here?
Ti/Le piace qui?
Ti/Le pyatshe kui

Have you ever been to England?
È stato/stata mai in Inghilterra?
E stato/stata mai in Ingilterra

Could you help me, please?
Mi può aiutare, per favore?
Mi puo ayutare, per favore

Do you speak English?
Parli/Parla inglese?
Parli/Parla inglese

I only speak a bit of Italian.
Parlo soltanto un po' d'italiano.
Parlo soltanto un po ditalyano

Could you speak a bit more slowly?
Potrebbe parlare più lentamente, per favore?
Potrebe parlare pyu lentamente, per favore

Sorry, I didn't understand you.
Non La capisco.
Non la kapisko

Do you understand me?
Mi capisce?
Mi kapishe

Communication

211

Could you say it again, please?
Lo può ripetere, per favore?
Lo può ripetere, per favore

What's that called in Italian?
Come si dice in italiano?
Kome si ditshe in italyano

Could you write it down for me, please?
Me lo può scrivere, per favore?
Me lo può skrivere, per favore

Could you translate it, please?
Lo può tradurre, per favore?
Lo può tradure, per favore

Saying thank you

Thank you very much.
Tante grazie.
Tante gratsie

Thank you very much for your help.
Grazie del Suo aiuto.
Gratsie del Suo ayuto

Thank you, that's very kind of you.
Grazie, è molto gentile (da parte Sua).
Gratsie, e molto dshentile (da parte Sua)

Saying sorry

I'm so sorry.
Mi dispiace.
Mi dispyatshe

It doesn't matter.
Non fa niente.
Non fa niente

It was a misunderstanding.
È stato un malinteso.
E stato un malinteso

212

Occasionally, in everyday conversation you will be faced with situations where you want to express your opinions or feelings. Here are a few ways of expressing your agreement, refusal or sympathy.

Agreement

▶ It's been/It's very nice.
È stato/È molto bello qui.
E stato/E molto bello kui

▶ I like that.
Mi piace.
Mi pyatshe

▶ I'm quite happy.
Sono contento.
sono kontento

▶ I'd love to.
Molto volentieri.
Molto volentyeri

Indecision

▶ I don't mind.
È uguale.
E uguale

▶ As you like.
Come vuoi/vuole.
Kome vuoy/vuole

▶ I don't know yet.
Non lo so ancora.
Non lo so ankora

▶ It doesn't matter.
Non fa niente.
Non fa nyente

Refusal

▶ I don't like that.
Non mi piace.
Non mi pyatshe

▶ I'd rather not.
Non voglio.
Non volyo

▶ I'm afraid that's not possible.
Purtroppo non è possibile.
Purtroppo non e possibile

▶ Certainly not.
Mai!/In nessun caso!
Mai!/In nessun kaso

▶ I don't agree with that.
Non sono d'accordo.
Non sono dakordo

Looking for a seat

Are there any spare seats at your table?
C'è ancora posto al Suo tavolo?
Tshe ankora posto al suo tavolo

Yes, please join us.
Sì, si accomodi, prego.
Si, si akomodi, prego

Have you been on holiday here long?
È da molto che fa le vacanze qui?
E da molto ke fa le vakantse kui

My wife and I have been here for a week.
Mia moglie ed io siamo da una settimana qui.
Mia molye ed io syamo da una setimana kui

We just arrived today.
Noi siamo arrivati oggi.
Noi syamo arivati odshi

Have you been here before?
Era già stato qui?
Era dsha stato kui

We have been coming here for the last five years. The children wouldn't like to go anywhere else.
Noi ci veniamo da cinque anni. I bambini non vogliono andare da nessun'altra parte.
Noi tshi venyamo da tshinkue anni. I bambini non volyono andare da nessunaltra parte

Our children went camping.
I nostri bambini sono andati in un campeggio.
I nostri bambini sono andati in un kampedsho

Our children will do the same in autumn.
Bello, questo i nostri lo faranno in autunno.
Bello, kuesto i nostri lo faranno in autunno

DATING AND FLIRTING

Important phrases

phrases

Have you got any plans for tomorrow?
Hai/Ha già un impegno per domani?
Ai/A dsha un impenyo per domani

Shall we meet up tonight/tomorrow?
Incontriamoci stasera/domani?
Inkontrigmotshi stasera/domani

Meeting

I'd like to take you out for a meal.
Ti/La vorrei invitare a mangiare.
Ti/La vorey invitare a mandshare

Should we go dancing?
Vogliamo andare a ballare?
Volyamo andare a balare

I'm afraid I can't.
**Purtroppo non è
possibile.**
*Purtroppo non e
possibile*

What time/Where shall we meet?
Quando/Dove ci incontriamo?
Kuando/Dove tshi inkontrigmo

We'll meet at ...
Incontriamoci alle ...
Inkontrigmotshi alle

I'll pick you up.
Ti/La vengo a prendere.
Ti/La vengo a prendere

I'd like to go.
Vorrei andar via.
Vorey andar via

Can I take you home?
**La posso accompagnare ancora a casa, per
favore?**
La posso akompanyare ankora a kasa, per favore

215

As with all flirts you have to reckon on being refused

- **Non ho voglia di andare a letto con te.**
  I don't want to sleep with you.
  Non o voglia di andare a letto kon te
- **Non voglio.**
  I don't want to.
  Non volyo
- **Per favore, adesso vattene!**
  Please leave now!
  Per favore, adesso vatene
- **Sparisci!**
  Go away!
  sparishi
- **Non voglio vederti mai più.**
  I don't want to see you again!
  Non volyo vederti mai pyu

Could we meet again?
Ci rivediamo un'altra volta?
Tshi rivedyamo unaltra volta

Sympathy

I like you a lot.
Ti voglio bene.
Ti volyo bene

Have you got a boyfriend/girlfriend?
Hai/Ha un ragazzo/una ragazza?
Ai/A un ragatso/ragatsa

Are you married?
Sei/È sposato/sposata?
Sey/E sposato/sposata

I've been looking forward to our meeting all day.
Ho aspettato il nostro incontro tutto il giorno.
O aspetato il nostro inkontro tutto il dshorno

I think, I've fallen in love with you.
Mi sono innamorato/innamorata di te.
Mi sono inamorato/inamorata di te

216

I'd like to sleep with you.
Voglio fare l'amore con te.
Volyo fare lamore kon te

A new acquaintance

This is the third time we have bumped
  into each other. It must be a good
  omen ...
**Oggi ci vediamo già per la terza
volta. Se questo non è un buon
segno ...**
*Odshi tshi vedyamo dsha per la
tertsa volta. Se kuesto none un
buon senyo*

We could test it out and meet for
  dinner this evening.
**Lo potremmo verificare ed incon-
trarci questa sera per cena.**
*Lo potremmo verifikare ed inkon-
trartshi kuesta sera per tshena*

That sounds nice. Where shall we meet?
Volentieri. Dove ci incontriamo?
Volentyeri. Dove tshi inkontriamo

Give me your address and I'll pick you
  up at eight o'clock.
**Se mi riveli il tuo indirizzo, ti vengo
a prendere alle otto.**
*Si mi riveli il tuo indiritso, ti vengo a
prendere alle otto*

Fine, but be punctual, please.
Volentieri, ma sii puntuale.
Volentyeri, ma sii puntuale

CHILDREN

Important words

baby bottle	**il biberon** *biberon*
baby food	**gli alimenti per la prima infanzia** *alimenti per la prima infantsia*
baby's changing table	**il fasciatoio** *fashatoyo*
babysitter	**la baby-sitter** *bebi-sitter*
bottle warmer	**lo scaldabiberon** *skaldabiberon*
to change a nappy	**fasciare** *fashare*
child reduction	**la riduzione per bambini** *ridutsyone per bambini*
children's hospital	**l'ospedale (m) pediatrico** *lospedale pediatriko*
children's portion	**la porzione per bambini** *portsyone per bambini*
cot	**il lettino per bambini** *letino per bambini*

 When travelling in Italy you will notice how fond the Italians are of children, and children are often present at evening events. However, there are few public baby changing rooms, and mothers breast-feeding their children in public is not a common sight.

dummy	**il ciuccio** *tshutsho*
nappy	**il pannolino** *pannolino*
paddling pool	**la piscina per bambini** *pishina per bambini*
paediatrician	**il pediatra** *pedyatra*

playground	**il parco giochi**	
	parko dshoki	
pram	**la carrozzine**	
	karrotsine	
toy	**i giocattoli**	
	dshokatoli	
water ring	**il salvagente**	
	salvadshente	
water wings	**i bracciali salvagente**	
	bratshali salvadshente	

Important phrases

Do you have a mother and baby's room?
Dove potrei fasciare il mio bebè?
Dove potrey fashare il mio bebe

Where can I breastfeed my baby?
Dove potrei allattare il mio bebè?
Dove potrey allatare il mio bebe

Could you warm up the bottle?
Mi potrebbe riscaldare il biberon?
Mi potrebe riskaldare il biberon

Do you have baby food?
Ha alimenti per la prima infanzia?
A alimenti per la prima infantsia

Do you have a high-chair for our child?
Ha un seggiolone per il bambino?
A un sedsholone per il bambino

We need a cot.
Abbiamo bisogno di un lettino per bambini.
Abyamo bisonyo di un letino per bambini

Do you also rent children's car seats?
Lei affitta dei seggiolini per l'auto?
Lei affitta dei sedsholini per lauto

Is there a special rate for children?
C'è una riduzione per bambini?
Tshe una ridutsyone per bambini

Are there children's portions?
C'è una porzione per bambini?
Tshe una portsyone per bambini

Is there a children's area nearby?
C'è un campo giochi qui vicino?
Tshe un kampo dshoki kui vitshino

Where's the nearest toy shop?
Dov'è il più vicino negozio di giocattoli?
Dove il pyu vitshino negotsyo di dshokatoli

Where's the nearest paediatrician?
Dov'è il più vicino pediatra?
Dove il pyu vitshino pediatra

dialogue

The lost ball

Does this ball belong to your son?
Questa palla è di suo figlio?
Kuesta palla e di suo filyo

Yes, we were wondering where it was. Thank you very much.
Sì, l'avevamo già cercata. Grazie mille.
Si, lavevamo dsha tsherkata. Gratsie mille

Do you have any more children?
Ha altri bambini?
A altri bambini

Yes we do, a girl. She is in the water just now.
Sì, una bambina. Adesso è in acqua.
Si, una bambina. Adesso e in akua

That's not surprising, this beach is the nicest around here.
Non c'è da meravigliarsi. Questa è la spiaggia più bella della zona.
Non tshe da meravilyarsi. Kuesta e la spyadsha pyu bella della dsona.

Then we'll be back here tomorrow as well.
Allora domani veniamo di nuovo qui.
Alora domani venyamo di nuovo kui

That's fine. Then the kids can play together again.
Che bello, così i bambini potranno giocare insieme.
Ke bello, kosi i bambini potranno dshiokare insyeme

A paediatrician is the best person to help you if you can describe where your child has a pain.

The child has	Il bebè ha	Il bebe a
an allergy	un'allergia	unallerdschia
backache	dolore di schiena	dolore di skyena
a cough	la tosse	la tosse
diarrhoea	la diarrea	la diarea
ear-ache	mal di orecchie	mal di orekye
flu	l'influenza (f)	linfluentsa
a headache	mal di testa	mal di testa
pain	dolori	dolori
a rash	un esantema	un esantema
a sore throat	mal di gola	mal di gola
a stomach-ache	mal di stomaco	mal di stomako
a swelling	un gonfiore	un gonfyore
toothache	mal di denti	mal di denti
vomited	vomitato	vomitato
wind	la flatulenza	la flatulentsa
a wound	una ferita	una ferita

BUSINESS

Important words

advertising	**la pubblicità** *publitshita*
agreement	**l'accordo (m)** *lakordo*
air-freight	**il trasporto aereo** *trasporto aereo*
appointment	**l'appuntamento (m)** *lapuntamento*
branch	**la filiale** *filyale*
brochure	**il catalogo** *katalogo*

If you want to talk with someone on the telephone you say **Vorrei parlare con ...** I want to speak to ... *(Vorey parlare kon)*. Possible answers:

▶ **Glielo/Gliela passo.**
I'll put you through.
Lyelo/Lyela passo
▶ **... è occupato.**
... is on the other line.
e okupato
▶ **... oggi non c'è.**
... isn't in today.

to buy	**comprare** *komprare*
by post	**tramite posta** *tramite posta*
calculation	**il calcolo** *kalkolo*
to cancel	**annullare** *anulare*
catalogue	**il catalogo/l'elenco (m)** *katalogo/lelenko*
commerce	**il commercio** *komertsho*

commission	la provvigione	*providshone*
competition	la concorrenza	*konkorrentsa*
condition of contract	la condizione contrattuale	*konditsyone kontratuale*
consignment note	la lettera di carico	*lettera di kariko*
contract	il contratto	*kontratto*
credit	il credito	*kredito*
customer	il cliente	*kliente*
delivery time	il termine di consegna	*termine di konsenya*
discount	lo sconto	*skonto*
due	in scadenza	*in skadentsa*
exchange	il cambio	*kambyo*
forwarding agency	la spedizione	*speditsyone*
free of charge	gratis	*gratis*
freight	il carico	*kariko*
freight charges	le spese di trasporto	*spese di trasporto*
guarantee	la garanzia	*garantsia*
import	l'importazione (f)	*limportatsyone*

223

insurance	l'assicurazione (f)
	lassikuratsyone
interest	gli interessi
	interessi
invoice	la fattura
	fatura
jurisdiction	il foro competente
	foro kompetente
licence	la licenza
	litshentsa
mark-up	il margine di guadagno
	mardshine di guadanyo
order	l'ordinazione (f)
	lordinatsyone
postage	le spese di spedizione
	spese di speditsyone
price-list	il listino prezzi
	listino pretsi
to process	lavorare
	lavorare
production	la produzione
	produtsyone
purchase price	il prezzo di costo
	pretso di kosto
purchase tax	l'imposta sul volume d'affari
	limposta sul volume dafari
quality	la qualità
	kualita
quantity	la quantità
	kuantita
salesman	il rappresentante
	rapresentante

When you arrive at a company you will be taken to your contact person: **Venga, per favore. L'accompagno da ...** Please come with me. I will take you to ... *(Venga, per favore. Lakompanyo da ...).*

Or you will be asked to wait: **Può attendere un istante, per favore?** Would you please wait here for a moment? *(Puo atendere un istante, per favore).*

Attentive receptionists are bound to offer you a coffee: **Le posso offrire un caffè?** May I get you a coffee? *(Le posso offrire un kafe).*

224

seller	il venditore
	venditore
selling price	il prezzo di vendita
	pretso di vendita
size	la misura
	misura
supplier	lo spedizioniere
	speditsyonyere
tax	la tassa
	tassa
trade fair	la fiera
	fyera
turnover	la cifra d'affari
	tsifra dafari
Value Added Tax (VAT)	l'imposta (f) sul valore aggiunto (IVA)
	limposta sul valore adshunto (Iva)

Important phrases

Could I speak to ...
Vorrei parlare con ...
Vorey parlare kon

Could I leave a message for ...?
Posso lasciare un messaggio per ...?
Posso lashare un messadsho per

Could we arrange an appointment?
Potremmo fissare un appuntamento?
Potremmo fisare un apuntamento

I've got an appointment with ... at ...
Ho un appuntamento alle ... con ...
O un apuntamento alle ... kon

Who should I get in touch with?
A chi mi posso rivolgere?
A ki mi posso rivoldshere

The appointment

I have an appointment with Mr Conti at ten.
Ho un appuntamento alle dieci con il signor Conti.
O un apuntamento alle dyetshi kon il sinyor Konti

Just a moment and I'll have a look.
Un attimo che verifico.
Un atimo ke verifiko

I made the appointment yesterday.
Ho fissato il colloquio ieri.
O fissato il kolokuyo iyeri

Yes, that's right. I'll tell Mr Conti that you are here.
Giusto. Informo il signor Conti che è arrivato.
DshustoInformo il sinyor Konti ke e arivato

That would be nice of you.
Molto gentile.
Molto dshentile

In the meantime would you please fill out this registration form?
Nel frattempo potrebbe compilare questo modulo d'iscrizione, per favore?
Nel fratempo potrebe kompilare kuesto modulo diskritsyone, per favore

Yes, certainly.
Sì certo.
Si tsherto

Mr Conti will pick you up in a minute.
Il signor Conti la viene a prendere tra poco.
Il sinyor Konti la vyene a prendere tra poko

APPENDIX

Contents

A

abbey	l'abbazia (f)
accident	l'incidente (m)
accident report	il verbale dell'incidente
acuity	la capacità visiva
additional costs	le spese di mantenimento
address	l'indirizzo (m)
addressee	il destinatario
adhesive tape	il nastro adesivo
advance booking	la prevendita
advertising	la pubblicità
agreement	l'accordo (m)
air-conditioning	l'aria condizionata (f)
aircraft	l'aereo (m)
air filter	il filtro dell'aria
air-freight	il trasporto aereo
air mattress	il materassino pneumatico
alarm clock	la sveglia
alcohol level	per mille
allergy	l'allergia (f)
altar	l'altare (m)
alternative practitioner	l'omeopata (m)
ambulance	l'ambulanza (f)
amount	l'importo (m)
anaesthetic	l'anestesia (f)
angling	pescare
anorak	la giacca a vento
antibiotics	l'antibiotico (m)
antiques	l'antichità (f)
antiseptic ointment	la pomata per le ferite
aperitif	l'aperitivo (m)
aperture	il diaframma
appendicitis	l'appendicite (f)
apple	la mela
appointment	l'appuntamento (m)
apricot	l'albicocca (f)
April	aprile
arcade	l'arcata (f)
arch	l'arco (m)
arrest	arrestare
arrival	l'arrivo (m)
art collection	la collezione di quadri
artichoke	il carciofo
asparagus	l'asparago (m)
asthma	l'asma (f)
athletics	l'atletica leggera
at lunchtime	a mezzogiorno
at night	di notte
attack	l'aggressione (f)
at the back	li dietro
at the beginning	all'inizio
at the bottom	giù
at the corner	all'angolo
at the end	alla fine
at the front	(li) davanti
at the top	su
at the weekend	al fine settimana
aubergine	la melanzana
auditorium	la sala spettatori
August	agosto
aunt	la zia
autumn	l'autunno
avocado	l'avocado (m)
axle	l'asse (m)

B

baby bottle	il biberon	bay	la baia
baby food	gli alimenti per la prima infanzia	bay oil	l'olio emolliente
		beach	la spiaggia
baby's changing		beans	i fagioli
table	il fasciatoio	bedlinen	la biancheria (da letto)
babysitter	la baby-sitter		
backache	dolore di schiena	bedroom	la camera da letto
backwards	indietro	beef	la carne di manzo
bacon	il lardo	beer	la birra
badminton	il badminton	before	prima
baked	al forno	behind	dietro a
bakery	la panetteria	beige	beige
balcony	il balcone	belfry	il campanile
ball	la palla	bell	la campana
ball bearing	il cuscinetto a sfere	belt	la cintura
		bicycle	la bicicletta
ballet	il balletto	big	grande
ballpoint pen	la penna a sfera	bikini	il bikini/il due pezzi
banana	la banana		
bank	la banca	bill	il conto
banknote	la banconota/ il biglietto	billiards	il biliardo
		binocular	il binocolo
bar	la birreria/il bar	birthplace	la casa natale
baroque	il barocco	black	nero
bar-restaurant	il locale	black and white	
basket	il cestino della bicicletta	film	la pellicola in bianco e nero
basketball	la pallacanestro	blanket	la coperta
bathe	fare il bagno	blood	il sangue
bathing trunks	i calzoncini da bagno	blood alcohol	
		standard	per mille
bathrobe	l'accappatoio (m)	blouse	la camicetta
bathroom	il bagno	blue	blu
bathtowel	l'asciugamano (m)	boar	il cinghiale
		boarding pass	la carta d'imbarco
battery	la batteria/la pila		

boat hire	il noleggio di barche	bridge	il ponte
boiled ham	il prosciutto cotto	briefs	le mutande
book	il libro	bright	sereno
bookshop	la libreria	brilliants	il brillante
boots	gli stivali	bring	portare
bore	trapanare	broccoli	i broccoli
botanical garden	il giardino botanico	brochure	il catalogo
		broken	guasto/rotto
bottle	la bottiglia	bronze	il bronzo
bottle warmer	lo scaldabiberon	brooch	la spilla
bottom bracket	la serie movimento	brother	il fratello
		brother-in law	il cognato
bowel movement	la defecazione	brown	marrone
box	il palco	brush	la spazzola
box office	la cassa	building	l'edificio (m)
bra	il reggiseno	bungalow	il bungalow
bracelet	il bracciale	bureau de change	l'agenzia (f) di cambio
brake cable	il cavo del freno		
brake fluid	l'olio (m) dei freni	burglary	lo scasso
		burn	l'ustione (f)
brake lining	la guarnizione dei freni	burnt out	fuso
		burst	scoppiato
brake	il freno	bus	l'autobus (m)
branch	la filiale	bus station	la stazione delle autocorriere
brass	l'ottone (m)		
bread	il pane	butcher's	la macelleria
breakdown	il guasto	butter	il burro
breakdown service	il servizio rimorchio	buy	comprare
		by airmail	via aerea
breathing	la respirazione	by post	tramite posta

230

C

cabbage	il cavolo	car rental	il noleggio macchine
cabin	la cabina	carrots	le carote
café	la pasticceria	cartoon	il cartone animato
cake	la torta	car wash	l'autolavaggio (m)
calculation	il calcolo	cash (to pay)	in contanti
calm	tranquilla	cash	il denaro in contanti
camera	la macchina fotografica	castle	il castello
camomile tea	la camomilla	catalogue	il catalogo/ l'elenco (m)
camping card	la tessera di campeggio	catalytic converter	la marmitta catalitica
camping stove	il fornello	cathedral	la cattedrale/ il duomo
campsite	il campeggio	cauliflower	il cavolfiore
cancel	annullare	cave	la caverna/ la grotta
cancer	il cancro	ceiling	il soffitto
canoe	la canoa	cemetery	il cimitero
cap	il berretto	centre	centro
captain	il capitano	ceramics	la ceramica
car	la macchina	certificate	la conferma
carat	il carato	chain	la collana/ la catena
caravan	la roulotte	chair	la sedia
carburettor	il carburatore	chambermaid	la cameriera
cardiac stimulant	il farmaco contro i disturbi circolatori	champagne	lo spumante
		change	cambiare
cardigan	la giacca di lana	changing-room	la cabina
card number	il numero della carta assegni	chapel	la cappella
		charcoal tablets	le compresse al carbone vegetale
cardphone	il telefono a scheda		
car ferry	la nave traghetto	charge	la tariffa
caries	la carie		
car park	il parcheggio		
car radio	l'autoradio (f)		

231

cheap	economica	cleaning fluid	il detergente
check	verificare	clear	sereno/limpido
checked	a quadri	cliff	lo scoglio
check in (v)	fare il check in	climate	il clima
check-in	la registrazione/	climb	scalare
	l'iscrizione	climbing boots	gli scarponi da
cheese	il formaggio		montagna
chemist	il farmacista	cloakroom	il guardaroba
chemist's	la farmacia/	cloister	il chiostro
	la drogheria	cloud	la nuvola
cheque	l'assegno (m)	cloudy	nuvoloso
cheque card	la carta assegni	clutch	la frizione
cherry	la ciliegia	coast	la costa
chicken	il pollo	coat	il cappotto
child reduction	la riduzione per	coathanger	la gruccia
	bambini	coconut	la noce di
children's hospital	l'ospedale (m)		cocco
	pediatrico	cod	il merluzzo
children's play-		coffee	il caffè
ground	il parco da giochi	coffee machine	la macchina del
children's portion	la porzione per		caffè
	bambini	coffee with milk	il cappuccino
children's shoes	le scarpe da	coin	la moneta
	bambini	cold (adj)	freddo
child's safety seat	il seggiolino per	cold	il raffreddore
	l'auto	cold cuts	l'affettato (m)
china	la porcellana	comb	il pettine
chives	l'erba cipollina (f)	comedy	la commedia
chocolate	la cioccolata	commerce	il commercio
choir	il coro	commercials	la pubblicità
choir stalls	lo stallo del coro	commission	la provvigione/
chop	la cotoletta		la tariffa
church	la chiesa	compartment	lo scomparti-
cigar	il sigaro		mento
cigarettes	le sigarette	compass	la bussola
cigarillo	il sigarillo	competition	la concorrenza
circle	la galleria	complaint	il reclamo
circulatory disorder	i disturbi	composer	il compositore
	circolatori	concert	il concerto
city centre	il centro	concussion	la commozione
classicism	il classicismo		cerebrale

condition of contract	la condizione contrattuale	courgettes	gli zucchini
condoms	i profilattici/ i preservativi	court	il cortile/ il tribunale
conductor	il direttore d'orchestra	court shoes	il decolleté
connection	la coincidenza	covered market	il mercato coperto
consignment note	la lettera di carico	crab	il granchio
constipation	la costipazione	crayon	la matita colo- rata/il pastello
consulate	il consolato	crazy golf	il minigolf
contact lens	le lenti a contatto	cream	la panna
contraceptive pills	la pillola anti- concezionale	cream cheese	la ricotta
		credit	il credito
contract	il contratto	credit card	la carta di credito
convent	il convento	crime	il crimine
cooked	bollito	cross	la croce/ il crocifisso
cooker	la cucina		
cool	fresco	cross-country	lo sci di fondo
coolant	l'acqua (f) del radiatore	crossing	la traversata
		cross key	la chiave a croce
cooling water	l'acqua del radiatore (f)	crotched	lavorato all'uncinetto
cornea	la cornea	crown	la corona
costume jewellery	la bigiotteria	crudites	le verdure crude
cot	il lettino per bambini	cruise	la crociera
		crypt	la cripta
cotton	il cotone	crystal	il cristallo
cotton buds	i bastoncini cotonati	cucumber	il cetriolo
		cup	il calice/ la tazza
cotton wool	l'ovatta (f)		
couchette	la carrozza con cuccette	cupboard	l'armadio (m)
		currency	la valuta
		current (fruit)	il ribes
cough	la tosse	current	la corrente
cough mixture	lo sciroppo per la tosse	customer	il cliente
		customs	la dogana
counter	lo sportello	cycling	andare in bicicletta
country road	la strada provin- ciale		
		cylinder	il cilindro

D

daily	ogni giorno
daily flat rate	il forfait della giornata
damaged	danneggiato
damp	umido
dance	ballare
dancing bar	il locale da ballo
dark	scuro
daughter	la figlia
day cream	la crema da giorno
day of arrival	il giorno d'arrivo
decaffeinated coffee	il caffè decaffeinato
December	dicembre
deck	la coperta
deck-chair	la sedia a sdraio
deep-sea fishing	la pesca d'alto mare
defective	difetto
degree	il grado
delay	il ritardo
delivery time	il termine di consegna
dental clinic	la clinica odontoiatrica
dentist	il dentista
dentures	la protesi del dente
deodorant	il deodorante
department store	il grande magazzino
departure	il decollo/ la partenza
dermatologist	il dermatologo
desk	lo sportello
detergent	il detersivo
diabetes	il diabete
diabetic	il diabetico
dial	fare il numero
diamond	il diamante
diarrhoea	la diarrea
dictionary	il dizionario
dinghy	il canotto pneumatico
dinner	la cena
diopters	le diottrie
direction	la direzione
director	il regista
directory enquiries	l'ufficio informazione (m)
dirty	sporco
discount	lo sconto
dishcloth	lo strofinaccio asciugapiatti
dish of the day	il piatto del giorno
dish-washer	la lavastoviglie
dive	fare nuoto subacqueo
diving	fare nuoto subacqueo
diving board	il trampolino
diving equipment	l'equipaggiamento subacqueo
diving platform	il tuffo alto
dizziness	le vertigini
dock	l'approdo (m)
doctor	il medico
dome	la cupola
dormitory	il dormitorio
double room	la camera doppia
down	in giù
draught beer	la birra alla spina

dress	il vestito	drizzle	la pioggerella
drink (v)	bere	drops	le gocce
drink	la bevanda	drug	la droga/
drinking-water	l'acqua potabile		lo stupefacente
drinks	le bevande	dry	secco
drive	andare	duck	l'anatra (f)
driver	il conducente	due	in scadenza
driving licence	la patente di	dummy	ciuccio
	guida		

E

ear, nose and throat doctor	l'otorinolarin-goiatra (m)	engaged	occupato
		Enjoy your meal	buon appetito
ear-ache	mal di orecchie	entrance	l'entrata (f)
earlier	prima	envelope	la busta postale
early	presto	espresso	l'espresso (m)
earrings	gli orecchini	eurocheque	l'eurocheque (m)
eat	mangiare	evening dress	l'abito (m) da sera
eel	l'anguilla (f)	every hour	ogni ora
egg	l'uovo (m)	examination	l'esame (m)
electrical shop	il negozio di articoli elettrici	excavations	gli scavi
		excess	la quota a carico del cliente
electricity	la corrente	exchange (v)	cambiare
emerald	lo smeraldo	exchange	il cambio
emergency doctor	il medico d'emergenza	exchange rate	il corso dei cambi
		exit	l'uscita (f)
emergency exit	l'uscita (f) di sicurezza	expensive	cara
		exposure meter	l'esposimetro (m)
emergency telephone	il telefono d'emergenza	expressionism	l'espressionismo
		extract	togliere/tirare
		eye	l'occhio (m)
emergency ward	l'ingresso di emergenza	eye shadow	l'ombretto (m)
		eye specialist	l'oculista (m)

F

facade	la facciata	first aid	
facing the front	che da sulla strada	attendant	l'infermiere (m)
		first-aid kit	la cassetta di pronto soccorso
facing the rear	che da sul cortile	first showing	la prima
fainted	svenuto	fish	il pesce
family room	la camera per la famiglia	fishmonger's	la pescheria
fan belt	la cinghia (trapezoidale)	flannel	il guanto di spugna/ la flanella
fashion wear	il negozio di abbigliamento	flashing light	il lampeggiatore
fasten seatbelts	allacciare la cintura	flash light	il flash
		flat	l'appartamento
father	il padre	flat tyre	la foratura
father-in-law	il suocero	flight attendent	l'hostess (f)
feature film	il lungometraggio	flippers	le pinne
February	febbraio	floor	il piano
ferry	il traghetto	florist's	il fioraio
festival	il festival	flour	la farina
feta	il pecorino	flu	l'influenza (f)
fever	la febbree	foam mattress	la stuoia isolante
fiancé(e)	la fidanzata/ il fidanzato	fog	la nebbia
		food	il pasto
fig	il fico	football	il calcio
fight	la zuffa	football ground	il campo di calcio
filled	ripieno	fort	la fortezza
fillet	il filetto	forwarding	la spedizione
filling	l'otturazione (f)	forwards	avanti
film	il film/ la pellicola	fountain	la fontana
		fracture	la frattura
film camera	la cinepresa	frank	affrancare
filter	il filtro	free	libero
fire brigade	i pompieri	free of charge	gratis
fire-place	il camino	freight	il carico
fire-wood	la legna (per il camino)	freight charges	le spese di trasporto

fresco	l'affresco (m)	fruit seller's	il fruttivendolo
fresh	fresco	fruit tea	il tè alla frutta
Friday	venerdì	full board	la pensione completa
frost	il gelo		
frozen food	i prodotti sur-gelati	fully comprehen-sive insurance	l'assicurazione (f) di copertura totale
fruit	la frutta		
fruit juice	il succo di frutta		

G

gallery	la galleria	gold	l'oro (m)
gambas	i gamberetti	golden	d'oro
garage	l'officina (f)	golf	il golf
garden furniture	i mobili da giardino	goose	l'oca (f)
		gorgonzola	il gorgonzola
garlic	l'aglio (m)	Gothic	il gotico
gate	la porta/l'entrata (f) d'imbarco	GP	il medico gene-rico
gauze bandage	la garza	grandfather	il nonno
gear box	il cambio	grandmother	la nonna
gear cable	il cavo per il cambio	grape	l'uva (f)
		green	verde
generator	la dinamo	green card	la carta verde
glass	il bicchiere	greengrocer's	l'erbivendolo
glasses	gli occhiali	grilled	alla griglia
glasses case	l'astuccio (m) degli occhiali	grocer's	il negozio di ge-neri alimentari
glasses frame	il fusto degli occhiali	guarantee	la garanzia
		guarded	custodito
gloves	i guanti	guilt	la colpa
glue	la colla	gums	la gengiva
goat's cheese	il caprino	gymnastics	la ginnastica
goggles	la maschera	gynaecologist	il ginecologo

237

H

haddock	il nasello
hail	la grandine
hair curlers	il bigodino
hair dryer	l'asciuga-capelli (m)
hairgrips	il fermaglio per capelli
hairspray	la lacca
half board	la mezza pensione
hall	la sala
ham	il prosciutto
hammer	il martello
handbag	la borsa
handball	la palla a mano
hand brake	il freno a mano
handcream	la crema per le mani
handicraft	il lavoro fatto a mano
handkerchiefs	i fazzoletti
hand luggage	il bagaglio a mano
hat	il cappello
hazard warning light	il lampeggiatore d'emergenza
hazy	caliginoso
headache	il mal di testa
headlight	il faro
health-food store	il negozio di prodotti dietetici
heart attack	l'attacco cardiaco (m)
heat	il caldo
heating	il riscaldamento

helmet	il casco
herbal tea	l'infuso (m) d'erbe
herringbone	disegno a spina di pesce
high blood pressure	la pressione alta
high-pressure area	la zona di alta pressione
high tide	l'alta marea (f)
hiking trail	il sentiero
hire	prestare
hire charge	la tariffa di noleggio
hitchhiking	fare l'autostop
hole	il buco
holiday camp	il centro vacanze
holiday flat	l'appartamento (m) per le vacanze
holiday home	la casa per le vacanze
home-made	fatto in casa
honey	il miele
horn	il clacson
horse-racing	la corsa ippica
horse-riding	cavalcare
hospital	l'ospedale (m)
hospital stay	il soggiorno in ospedale
hostel wardens	i gestori dell'ostello della gioventù
hot	cocente
hot chocolate	la cioccolata

house	la casa	humid	afoso
house wine	il vino della casa	hurt/injured	ferito/ferita
hovercraft	l'hoverkraft (m)	husband	il marito
hub	il mozzo	hut	il rifugio

I

ice	il gelo/il ghiaccio	innocent	innocente
ice hockey	l'hockey sul ghiaccio (m)	inscription	la scritta
		instruction	l'istruzione (f) per l'uso
ice-skating	pattinare		
identity card	la carta d'identità	insulin	l'insulina (f)
ignition	l'accensione (f)	insurance	l'assicurazione (f)
ignition cable	il cavo d'accen- sione	interest	gli interessi
		international call	la chiamata internazionale
illness	la malattia		
import	l'importazione (f)	internist	l'internista (m)
impressionism	l'impressio- nismo (m)	interval	l'intervallo (m)
		in the afternoon	di pomeriggio
inflammation	l'infiammazione	in the evening	di sera
in front of	davanti a	in the morning	di mattina
inject	iniettare	in time	in tempo
injection	la siringa/ la puntura	invoice	la fattura
		iron	stirare
inner tube	la camera d'aria	island	l'isola (f)

J

jack	il cric
jacket	la giacca
jam	la marmellata
January	gennaio
jaw	la mascella
jeans	i jeans
jellyfish	la medusa
jeweller's	il gioielliere
jewellery	i gioielli
jogging	fare footing
judge	il giudice
juice	il succo
July	luglio
June	giugno
jurisdiction	il foro compe- tente

K

kayak	il kayak
key	la chiave
kitchenette	il cucinino
knitted	fatto a maglia

L

laboratory	il laboratorio fotografico
lambswool	la lana di agnello
landlord	il proprietario
landscape	il paesaggio
late	tardi
later	più tardi
laxative	il lassativo
leading actor	l'attore princi- pale
lean	magro
leather	la pelle
leatherware	la pelleteria
leave	partire
leek	il porro
left	a sinistra

left-luggage office	il deposito bagagli	line	la comunicazione
lemon	il limone	linen	il lino
lemonade	la limonata	lipstick	il rossetto
lens	l'obiettivo (m)	list of beverages	la carta delle bevande
lens cap	il coperchio dell'obiettivo	liver	il fegato
lens	la lente d'occhiali	local call	la chiamata urbana
letter	la lettera	locker	l'armadietto (m)
lettuce	la lattuga	long-distance call	la chiamata interurbana
library	la biblioteca		
licence	la licenza	long-sighted	presbite
life-belt	il salvagente	lorry	il camion
life-boat	la barca di salvataggio/la scialuppa di salvataggio	lose	perdere
		lost-property office	l'ufficio (m) oggetti smarriti
life-guard	il bagnino	low blood pressure	la pressione bassa
life jacket	il giubbotto di salvataggio	low-pressure area	la zona di depressione atmosferica
light (adj)	chiaro/luminoso		
light	la luce		
lighter	l'accendino (m)	low tide	la bassa marea
lightning	il fulmine	luggage	il bagaglio
light switch	l'interruttore (m)	lunch	il pranzo

M

magazine	la rivista	make a phone call	telefonare
mains connection	la presa della corrente	make-up	il trucco
		mandarin	il mandarino
main season	l'alta stagione (f)	map of cycling routes	la cartina delle piste ciclabili
maize	il mais		

map of walks	la carta dei percorsi escursionistici/la carta dei sentieri	monastery	il monastero
		Monday	lunedì
		money	il denaro
		monthly	mensile/ ogni mese
March	marzo		
margarine	la margarina	monument	il monumento
marinated	marinato	mosaic	il mosaico
mark-up	il margine di guadagno	mosquito ointment	la pomata contro le punture di zanzare
mascara	il mascara		
mascarpone	il mascarpone		
matches	i fiammiferi	mosquito repellent	il fornellino antizanzare
material	il materiale/ la stoffa		
		mother	la madre
May	maggio	mother-in-law	la suocera
meal	il piatto	motor	il motore
meat	la carne	motorail service	il treno traghetto
mechanic	il meccanico	motorbike	la motocicletta
medical insurance	la cassa mutua	motorboat	il motoscafo
medical insurance card	il certificato medico	motor oil	l'olio (m) del motore
		motorway	l'autostrada (f)
medicine	la medicina/ il farmaco	mountain	la montagna
		mountain climbing	l'alpinismo (m)
Mediterranean	il (Mare) Mediterraneo	mountain guide	la guida alpina
		mountaineering	l'alpinismo (m)
medium (wine)	semisecco	mouth	la bocca
membership card	la tessera di membro	mozzarella	la mozzarella di bufalo
menu	il menù	mural	la pittura murale
migraine	l'emicrania (f)	museum	il museo
milk	il latte	mushroom	il prataiuolo
minced meat	la carne tritata	musical	il musical
mineral water	l'acqua minerale (f)	mussels	le cozze
		mutton	la carne di montone
mirror	lo specchio		
molest	importunare		

N

nail-brush	la spazzola per le unghie	night cream	la crema da notte
nail-file	la limetta per le unghie	nightdress	la camicia da notte
nail scissors	le forbici per le unghie	nighty duty	il servizio notturno
nail varnish	lo smalto per le unghie	non-alcoholic beer	la birra analcolica
nail varnish remover	il solvente per lo smalto	(non-) smokers	i (non) fumatori
nappy	il pannolino	non-smoking compartment	lo scomparti-mento per non fumatori
national code	il prefisso		
national park	il parco nazionale	non-swimmer	il non nuotatore
natural fibre	le fibre naturali	Norman era	il romanico
nature reserve	la zona protetta	notepad	il bloc-notes
nausea	la nausea	notice	la notizia
navy	blu scuro	no vacancies	completo
nerve	il nervo	November	novembre
neurologist	il neurologo	now	adesso
never	mai	nudist beach	la spiaggia per nudisti
newsagent's	il giornalaio	nurse	infermeria
newspaper	il giornale		

O

October	ottobre
off-roader	il fuoristrada
often	spesso
oil	l'olio (m)
oil change	il cambio dell'olio
oil filter	il filtro dell'olio
oil level	il livello dell'olio
ointment	la pomata
old town	il centro storico
onion	la cipolla
open-air pool	la piscina all'aperto
opera	l'opera (f)
operation	l'operazione (f)
opposite	di fronte
optician's	l'ottico (m)
orange (adj)	arancione
orange	l'arancia (f)
order	l'ordinazione (f)
order (v)	ordinare
organ	l'organo (m)
original	la versione originale
overcast	velato
overheated	surriscaldato
oyster	le ostriche

P

packet	il pacchetto
paddling boat	la canoa
paddling pool	la piscina per bambini
paediatrician	il pediatra
pain	i dolori
painkiller	l'analgesico (m)
painting	il quadro
palace	il palazzo
paper	la carta
parasol	l'ombrellone (m)
park	il parco
parcel	il pacco
parents	i genitori
parents-in-law	i suoceri
parmesan	il parmigiano
parsley	il prezzemolo
passport	il passaporto
pasta	la pasta
pattern	il disegno
patterned	a disegni
pay	pagare
pay in	versare
payment	il pagamento
payphone	il telefono a monete
peach	la pesca
pear	la pera

pearl	la perla	playground	il parco giochi
peas	i piselli	playing	giocare
pebble beach	la spiaggia di sassi	playing cards	le carte da gioco
pedal boat	il moscone	plum	la prugna (f)
pencil	la matita	pneumonia	la polmonite
pendant	il ciondolo	pocket book	il libro tascabile
pepper	il pepe/ il peperone	poisoning	l'avvelena- mento (m)
performance	la recita/ lo spettacolo	police	la polizia
		policeman	il poliziotto
perfume	il profumo	police station	la questura
perfume shop	la profumeria	pool attendant	il bagnino
pet	l'animale (m) domestico	pork	la carne di maiale
petrol	la benzina	port	il porto
petrol can	il bidone di benzina	portal	il portale
		postage	il porto/le spese della spedizione
petrol station	il distributore di benzina	postbox	la cassetta delle lettere
phone box	la cabina tele- fonica	postcard	la cartolina postale
phone call	la telefonata	postcode	il codice di avvia- mento postale
phonecard	la scheda tele- fonica	post office	l'ufficio (m) postale
photograph	la foto	potatoes	le patate
pickpocket	lo scippatore	poultry	il pollame
picture book	il libro illustrato	powder	la cipria
pillar	la colonna	pram	la carrozzina
pineapple	l'ananas (m)	pregnancy	la gravidanza
pink	rosa	prescription	la ricetta (medica)
pipe	la pipa	price	il prezzo
pipe tobacco	il tabacco per la pipa	price-list	il listino prezzi
		print	lo stampo
plaster	il cerotto	prison	la prigione
plastic	la plastica	private room	la camera singola
platform	la banchina/ il binario	process	lavorare
		production	la messa in scena/ la produzione
platinum	il platino		
play	lo spettacolo/ il dramma	programme	il programma

psychologist	lo psicologo
pub	l'osteria (f)/ la birreria
pullover	il maglione
pulpit	il pulpito
pulse	il polso
puncture repair kit	gli accessori per la riparazione di forature

purchase price	il prezzo di costo
purchase tax	l'imposta sul volume d'affari
purple	lilla
purse	il portamonete
put through	passare
pyjamas	il pigiama

Q

quality	la qualità
quantity	la quantità

quarter	il quartiere

R

rabbit	il coniglio
radiator	il radiatore
radio	la radio
railway	la ferrovia
rain	la pioggia
raincoat	l'impermeabile
rainfall	le precipitazioni
rainshower	il rovescio di pioggia
rainy	piovoso
rape	lo stupro

rare	al sangue
rash	l'esantema (f)
raspberry	il lampone
rate per kilometre	il rimborso del carburante
ravine	la gola
raw	crudo
raw ham	il prosciutto crudo
razor blade	la lametta
receipt	la ricevuta

reception	la recezione/l'ospedalizzazione	rinse	sciacquare
recommend	consigliare	rinsing solution	la soluzione per la conservazione
record shop	il negozio di CD		
recreation room	la sala per le attività in comune	river	il fiume
		road	la strada
red	rosso	road map	la carta automobilistica/la cartina stradale
red flag	la bandiera rossa		
reduction	la riduzione		
red wine	il vino rosso	road sign	il cartello stradale
refrigerator	il frigorifero		
refund of costs	il rimborso spese	roasted	arrosto
registration	la registrazione	rock	gli scogli/ la roccia
relief	il rilievo		
renaissance	il rinascimento	roll	il panino
rent	l'affitto (m)	Romantic era	il romantico
rent (v)	noleggiare	room-number	il numero di camera
repair (v)	aggiustare		
repair	la riparazione	root	la radice
repatriation	il ritorno in ambulanza	rope	la corda
		rosé	il vino rosato
report	la denuncia	rose window	il rosone
reservation	la prenotazione	row	la fila
restaurant	la trattoria/ il ristorante	rowing	il canottaggio
		rowing boat	la barca a remi
restaurant car	il vagone ristorante	rubber	la gomma (per cancellare)
rest in bed	l'alitamento (m)	rubber boots	gli stivali di gomma
return	riconsegnare		
return ticket	il biglietto di andata e ritorno	rubbish	la spazzatura
		ruby	il rubino
rheumatism	i reumatismi	rucksack	il sacco alpino
rice	il riso	ruin	la rovina
right	a destra	rusty	arrugginito
right of way	la precedenza		

S

sailing	andare in barca a vela	self-service	il self-service
sailing boat	la barca a vela	self-timer	l'autoscatto (m)
salad	l'insalata (f)	seller	il venditore
sale	i saldi	selling price	il prezzo di vendita
salesman	il rappresentante	sender	il mittente
salmon	il salmone	senior consultant	il primario
salt	il sale	September	settembre
sand	la sabbia	serve	servire
sandals	i sandali	service	il servizio
sandwich bar	la paninoteca	Services	la stazione di servizio
sandy beach	la spiaggia di sabbia	set meal	il menù
sanitary facilities	il servizio igienico	shade	l'ombra (f)
sanitary towels	gli assorbenti igienici	shadowy	ombreggiata
		shampoo	lo shampoo
sapphire	lo zaffiro	shaver	il rasoio
sardines	le sardine	shaving cream	la crema da barba
Saturday	sabato		
sauna	la sauna	shaving foam	il sapone da barba
sausage	la salsiccia		
scarf	la sciarpa/ il foulard	shells	la conchiglia
		ship	la nave
screen	lo schermo	shipping agency	l'agenzia navale (f)
screw driver	il cacciavite		
sculpture	la scultura	shirt	la camicia
sea	il mare	shock	lo shock
sea-bed	il fondo marino	shock absorber	l'ammortizzatore
seal	la guarnizione	shoes	le scarpe basse
sea sickness	il mal di mare	shoe shop	il negozio di calzature
seat	il posto		
seatbelt	la cintura di sicurezza	shop window	la vetrina
		short-sighted	miope
sea-weed	l'alga marina (f)	shot	la ripresa
sedative	il calmante	shower	la doccia
seldom	di rado	sight	la facoltà visiva

signature	la firma	son	il figlio
silk	la seta	soon	presto
silver (adj)	d'argento	sore throat	mal di gola
silver	l'argento (m)	soup	la zuppa/
single cabin	la cabina singola		la minestra
single room	la camera singola	source	la sorgente
sink	il lavandino per i	souvenir	il souvenir
	piatti	souvenir shop	il negozio di
sister	la sorella		souvenir
sister-in-law	la cognata	spanner	la chiave inglese/
site	il posto		per viti
size	la misura	spare part	il pezzo di ri-
skiing	sciare		cambio
skin cream	la crema per la	spare tyre	la ruota di scorta
	pelle	sparkling mineral	
skirt	la gonna	water	l'acqua minerale
sky	il cielo		gassata (f)
sky-diving	il paracadutismo	sparkling wine	il prosecco/
sleep	dormire		il frizzante/
sleeper	il vagone letto		lo spumante
sleeping bag	il sacco a pelo	spark plug	la candela
slide	la diapositiva		d'accensione
slide-film	la pellicola per	special offer	l'offerta spe-
	diapositive		ciale (f)
slippers	le pantofole	spice	la spezia
small	piccola	spinach	gli spinaci
small coin	gli spiccioli	spirits	le bevande
smoked	affumicato		alcoliche
snap	la fotografia	sponge	la spugna
snorkel	il respiratore	sportsjacket	la giacca
snow	la neve	sports shop	il negozio di
snow chains	le catene da		articoli sportivi
	neve	spotted	a puntini
snowfall	la nevicata	sprain	la slogatura
soap	la saponetta	spring	la primavera
socks	i calzini	square	la piazza
solarium	il solarium	squash	lo squash
sold out	esaurito	squint	essere strabico
sole	la sogliola	stag	il cervo
solicitor	l'avvocato (m)	stain remover	lo smacchiatore
sometimes	qualche volta	stairs	la scala

stalactite cave	la grotta di stalattiti
stalls	la platea
stamp	il francobollo
standing room	il posto in piedi
starter	il motorino d'avviamento
station	la stazione
stationer's	la cartoleria
statue	la statua
steak	la bistecca
steamed	stufato
steamer	la nave a vapore
still mineral water	l'acqua minerale naturale (f)
stock exchange	la borsa
stockings	le calze
stolen	rubato
stomach-ache	mal di stomaco
stomach ulcer	l'ulcera gastrica
stop	la fermata
stopover	lo scalo
storm	la tempesta
stormy	tempestoso
straight on	(tutto) diritto
strawberry	la fragola
street map	la cartina stradale
striped	a righe
studio couch	il divano letto
styling gel	il gel per capelli
subject	il motivo
subtitles	i sottotitoli
suede	il camoscio
sugar	lo zucchero
suit	il tailleur / l'abito (m)
suitcase	la valigia
sum insured	la somma assicurata
summer	l'estate (m)
sun	il sole
sun-bathing	il bagno di sole
sunburn	la scottatura (da sole)
sunburn ointment	la pomata contro le scottature
sun cream	la crema solare
Sunday	domenica
sunglasses	gli occhiali da sole
sunny	soleggiato
sunstroke	l'insolazione (f)
suntan lotion	l'olio solare (m)
supermarket	il supermercato
supplement	il supplemento
supplier	lo spedizioniere
surf	fare surfing
surfboat	la tavoletta per il surf
surfing	fare surfing
surgeon	il chirurgo
surgery	l'ambulatorio (m)
sweet	dolce
sweetener	il dolcificante
sweets	i dolci
swelling	il gonfiore
swim	nuotare
swimming	nuotare
swimming cap	la cuffia
swimming costume	il costume da bagno
synthetic material	le fibre sintetiche

T

table wine	il vino da tavola	thunder	il tuono
tablet	la compressa	thunderstorm	il temporale
table-tennis	il ping-pong	Thursday	giovedì
tampons	i tamponi	ticket	il biglietto/
tank	il serbatoio		l'avviso (m) di
tartar	il tartaro		contravvenzione
tax	la tassa	ticket office	la cassa
tea	il tè	tie	la cravatta
tea room	la sala da tè	tights	il collant
teeth	la dentiera	timetable	l'orario (m)
telegram	il telegramma	tinned food	lo scatolame
telephone	il telefono	tissue handker-	
telephone		chiefs	i fazzoletti di
directory	l'elenco tele-		carta
	fonico (m)	tobacco	il tabacco
telephoto lens	il teleobiettivo	tobacconist's	la tabaccheria
television	la televisione	today	oggi
temperature	la temperatura	toilet	il gabinetto/
tennis	il tennis		la toilette
tennis court	il campo da	toilet paper	la carta igienica
	tennis	toll	il pedaggio
tennis-racket	la racchetta da	tomato	il pomodoro
	tennis	tomb	la tomba
tent	la tenda	tomorrow	domani
tent peg	il picchetto	tool	l'attrezzatura (f)/
terminus	il capolinea		l'attrezzo auto-
thaw	il disgelo		mobilistico/
theatre	il teatro		l'utensile (m)
the day after		tooth	il dente
tomorrow	dopodomani	toothache	il mal di denti
the day before		toothbrush	lo spazzolino da
yesterday	l'altro ieri		denti
theft	il furto	toothpaste	il dentifricio
thermometer	il termometro	toothpick	lo stuzzicadenti
thief	il ladro	tooth rack	l'apparecchio (m)
thriller	il film giallo		per i denti

torch	la torcia
tow away	rimorchiare
towel	l'asciugamano (m)
tower	la torre
town hall	il municipio
town walls	le mura (della città)
towrope	il cavo da rimorchio
toy	il giocattolo
toy shop	il negozio di giocattoli
tracksuit	la tuta da ginnastica
trade fair	la fiera
traffic jam	l'ingorgo (m)
traffic-lights	il semaforo
train	il treno
trainers	le scarpe da ginnastica
transfer	assegnare

traveler's cheque	il traveller's cheque
travel guide	la guida
travel sickness	il mal d'auto
treasury	il tesoro
treatment	la cura
tripod	lo stativo
trousers	i pantaloni
trout	la trota
tub	la vasca da bagno
Tuesday	martedì
tuna	il tonno
turbot	il rombo
turnover	l'incasso (m)
turqoise	turchese
tweezers	le pinzette
tyre	la ruota
tyre pressure	la pressione delle gomme

U

uncle	lo zio
underground station	la stazione della metropolitana
underwear intima	la biancheria
uni	in tinta unita
unit	lo scatto

university	l'università (f)
unleaded	senza piombo
up	in su
urine	l'urina (f)
urologist	l'urologo (m)
used	usato
usher	la maschera

V

vaccination	la vaccinazione
vacuum cleaner	l'aspirapolvere (m)
valley	la valle
Value Added Tax (VAT)	l'imposta (f) sul valore aggiunto (IVA)
variable	variabile
vase	il vaso
VAT	la IVA
vault	la volta
veal	la carne di vitello
vegetables	la verdura
vegetarian	vegetariano
vehicle registration document	il libretto di circolazione
venison	il capriolo
ventilator	il ventilatore
venus mussels	le vongole
victim	la vittima
video camera	la videocamera
view	la vista
view-point	il belvedere
vine-dresser	il vignaiolo
vinegar	l'aceto (m)
violett	viola
visiting hour	l'orario (m) delle visite
volleyball	la pallavolo
volt	il voltaggio
vomit	vomitare

W

waistcoat	il golf
waiter	il servizio/ il cameriere
waiting room	la sala d'aspetto
wake up	svegliare
walk	fare escursioni
walking shoes	le scarpe da escursione
wallet	il portafoglio
warm	caldo
warm water	l'acqua calda (f)
warning triangle	il triangolo di segnalazione
washbasin	il lavandino
washroom	i bagni
watch	l'orologio (m) da polso
watchstrap	il cinturino
water	l'acqua (f)
water canister	la tanica per l'acqua
waterfall	la cascata

water wings	i bracciali salva-gente		window	la finestra
wave pool	la piscina ad onde		windscreen wiper	il tergicristallo
waves	le onde		windy	ventoso
weapon	l'arma (f)		wine	il vino
weather forecast	la previsione del tempo		wine tasting	la degustazione del vino
Wednesday	mercoledì		winter	l'inverno
well done (meat)	ben arrostito		winter sports	lo sport inver-nale
wet	bagnato		withdraw	prelevare
wharf	il molo		witness	il testimone
wheel rim	il cerchione		wood carving	l'intaglio (m)
white	bianco		woods	il bosco
white wine	il vino bianco		wool	la lana
wide-angle lens	il grandangolare		wound	la ferita
wife	la moglie		woven	tessuto
wind	il vento		wrapping paper	la carta da regalo
wind direction	la direzione del vento		writing paper	la carta da lettere

X

X-ray	la radiografia

Y

yellow	giallo		youth hostel card	la tessera per gli ostelli della gioventù
yogurt	lo yogurt			
youth hostel	l'ostello (m) della gioventù			

NUMBERS

0	zero *dsero*		40	quaranta *kuaranta*
1	uno *uno*		50	cinquanta *tshinkuanta*
2	due *due*		60	sessanta *sesanta*
3	tre *tre*		70	settanta *setanta*
4	quattro *kuatro*		80	ottanta *otanta*
5	cinque *tshinkue*		90	novanta *novanta*
6	sei *sei*		100	cento *tshento*
7	sette *sette*		200	duecento *duetshento*
8	otto *otto*		300	trecento *tretshento*
9	nove *nove*		400	quattrocento *kuatrotshento*
10	dieci *dyetshi*		500	cinquecento *tshinkuetshento*
11	undici *unditshi*		600	seicento *seitshento*
12	dodici *doditshi*		700	settecento *settetshento*
13	tredici *treditshi*		800	ottocento *ottotshento*
14	quattordici *kuatorditshi*		900	novecento *novetshento*
15	quindici *kuinditshi*		1000	mille *mille*
16	sedici *seditshi*		2000	duemila *duemila*
17	diciassette *ditshasette*		10 000	diecimila *dyetshimila*
18	diciotto *ditshotto*		20 000	ventimila *ventimila*
19	diciannove *ditshanove*		100 000	centomila *tshentomila*
20	venti *venti*		1 000 000	un milione *un milyone*
30	trenta *trenta*			

255